30

W9-CTZ-685

UNION GÉNÉRALE D'ÉDITIONS
8, rue Garancière-Paris VIe

LE RETOUR
DE CASANOVA

PAR

Arthur SCHNITZLER

Traduit de l'allemand
par Maurice Rémon

Série « Domaine étranger »
dirigée par Jean-Claude Zylberstein

ÉDITIONS DU SORBIER

ISBN-2-264-00629-3

NOTE

Casanova a réellement fait une visite à Voltaire dans son domaine de Ferney, mais toutes les conséquences qui en découlent dans ce petit roman, et en particulier le fait que Casanova aurait composé un pamphlet contre Voltaire, n'ont rien à voir avec la vérité historique. Mais, par contre, il est bien établi que, sur la fin de sa vie, entre cinquante et soixante ans, Casanova fut contraint de faire de l'espionnage à Venise. Quant aux nombreux incidents de la vie du fameux aventurier auxquels il est fait allusion au cours de ce récit, on trouvera dans ses « Mémoires » des détails plus circonstanciés. Pour le reste, toute cette histoire du « Retour de Casanova » est librement inventée.

LE RETOUR DE CASANOVA

Casanova avait cinquante-deux ans. Depuis longtemps déjà ce n'était plus, comme en sa jeunesse, le goût des aventures qui le poussait à travers le monde, mais plutôt la menace de la vieillesse imminente. Aussi sentait-il croître en son âme nostalgique un désir de revoir sa Venise natale, si fort que, tel un oiseau qui des hauteurs de l'air descend peu à peu pour mourir, il décrivait autour d'elle des cercles qui allaient se rétrécissant. Souvent déjà, dans ses dix dernières années d'exil, il avait fait des tentatives auprès du Grand Conseil pour obtenir son rappel. Mais si jadis, en composant ces requêtes, où il était passé maître, l'indépendance et l'obstination, souvent aussi une sorte de satisfaction rageuse avaient conduit sa plume, depuis quelque temps ses phrases, qui suppliaient presque humblement, semblaient trahir un désir douloureux, un repentir sincère et de plus en plus évident. Il croyait pouvoir d'autant plus compter sur le pardon que les fautes de ses jeunes années commençaient peu à peu à s'effacer dans l'oubli. Parmi elles d'ailleurs ce n'était pas son indiscipline, son amour du gain et ses fourberies, en général du genre joyeux, mais bien son incrédulité, qui était aux yeux du Conseil des Dix la plus impardonnable. Et puis l'histoire de sa prodigieuse évasion des Plombs de Venise, dont il avait tant de fois régalé cours et châteaux, tables bourgeoises et mauvais lieux, commençait à faire rentrer dans l'ombre toutes les autres aventures fâcheuses dont s'auréolait son nom. Tout récemment, dans les lettres reçues à Mantoue, où il résidait depuis deux mois, des personnages considérables avaient donné à l'aventurier, dont l'éclat extérieur ou intérieur allait se ternissant lentement, l'espoir que son sort serait bientôt fixé et de façon favorable.

Comme ses ressources financières étaient fort peu brillantes Casanova avait décidé d'attendre l'arrivée de sa lettre de grâce dans l'auberge modeste mais convenable où il avait déjà séjourné en des temps plus heureux. Il y employait son temps — sans parler de distractions moins intellectuelles auxquelles il n'était pas encore capable de renoncer entièrement — à composer un pamphlet contre Voltaire le blasphémateur : il pensait bien en le publiant à Venise, aussitôt après son retour, y consolider, de façon définitive, sa situation et son crédit auprès des gens bien-pensants.

Un matin qu'il se promenait dans les environs de la ville, et qu'il s'appliquait à arrondir une phrase destinée à anéantir le Français impie, brusquement il se sentit envahi d'un malaise pénible, extraordinaire, presque physique : cette vie qu'il menait depuis trois mois et à laquelle il s'habituait fâcheusement, les promenades matinales hors des portes, dans la campagne, les petites soirées de jeu chez le soidisant baron Perotti et sa maîtresse, au visage grêlé par la petite vérole, les tendresses de son hôtesse, toujours ardente encore que plus toute jeune, et même l'étude des œuvres de Voltaire et la rédaction de sa riposte hardie, et jusque-là, à ce qu'il lui semblait, assez réussie, — tout cela, dans la molle, la trop douce atmosphère de cette matinée, — on était à la fin de l'été — lui parut à la fois dénué de sens et odieux. Il murmura une malédiction, sans bien savoir à qui ou à quoi il la destinait, et, saisissant la

poignée de son épée, lançant de tous côtés des
regards hostiles, comme si dans la solitude des
yeux invisibles le narguaient, il reprit brusquement le chemin de la ville, bien résolu à tout
préparer sur l'heure pour un départ immédiat.
Car il se sentirait mieux, il n'en doutait pas, dès
qu'il se serait rapproché de quelques lieues de
sa patrie tant souhaitée. Il hâta le pas pour
retenir à temps une place dans la malle-poste
qui partait avant le coucher du soleil dans la
direction de l'Est : il n'avait guère rien d'autre à
faire, car il pouvait bien se dispenser d'une
visite d'adieu au baron Perotti, et une demi-
heure lui suffirait amplement pour rassembler
ses effets et faire sa valise. Il songeait à ses deux
habits, quelque peu râpés, dont il avait sur lui le
moins bon, à son linge, jadis si fin, et maintenant si souvent rapiécé, qui, avec deux ou trois
tabatières, une montre en or et sa chaîne, plus
un bon nombre de livres, composaient tout son
avoir. Il revoyait les jours d'autrefois, où, en
personnage de qualité, abondamment pourvu
de tout le nécessaire, voire du superflu, il
roulait à travers le pays en somptueux équi-
page, escorté même d'un valet — qui le plus
souvent n'était, à vrai dire, qu'un coquin — et
une colère impuissante lui faisait monter les
larmes aux yeux. Une jeune femme passa près

de lui conduisant, le fouet à la main, une charrette, où, au milieu de sacs et d'ustensiles de ménage, gisait, ronflant, son mari ivre. Elle jeta sur Casanova, qui, le visage bouleversé, marmottant entre ses dents des paroles incompréhensibles, avançait à grandes enjambées sous les marronniers défleuris de la route, un regard d'abord curieux et moqueur, puis, quand elle vit que l'éclair d'un œil courroucé lui répondait, ses yeux eurent une expression de frayeur, et enfin, comme elle se retournait vers lui en s'éloignant, une lueur de complaisance lascive y brilla. Casanova n'ignorait pas que le courroux et la haine se jouent volontiers plus longtemps sur un jeune visage que la douleur et la tendresse, aussi comprit-il aussitôt qu'il lui eût suffi d'un appel effronté pour faire arrêter la voiture et lui permettre ensuite de faire de la jeune femme ce que bon lui eût semblé. Cette certitude le mit, pour un instant, de meilleure humeur, mais il jugea qu'il ne valait pas la peine de perdre, ne fût-ce que quelques minutes, à une si insignifiante aventure, et il laissa la charrette rustique et ses occupants continuer leur course grinçante dans la poussière de la route.

L'ombre des arbres n'atténuait guère la vigueur brûlante du soleil maintenant haut, et

Casanova se vit forcé de modérer son allure. Une épaisse couche de poussière avait recouvert ses habits et ses chaussures dont elle dissimulait l'usure, aussi pouvait-on maintenant prendre Casanova, à sa tenue et à son port, pour quelque personnage d'importance, à qui il aurait pris fantaisie de laisser pour une fois son carrosse à la maison. La porte de la ville se dressait déjà devant lui — et son auberge était tout près de là — quand arriva vers lui, fortement cahotée, une lourde voiture de campagne, où était assis un homme encore jeune, bien habillé et à l'air cossu. Les mains croisées sur le ventre, les yeux papillotants, il semblait prêt à s'assoupir quand son regard, tombant par hasard sur Casanova, s'alluma d'un éclat inattendu et toute son attitude dénota une agitation joyeuse. Il se leva trop brusquement, retomba, se redressa, frappa le cocher dans le dos pour lui signifier d'arrêter, et, comme la voiture continuait à avancer, il se retourna pour ne pas perdre Casanova de vue, lui fit des signes avec les deux mains et finalement, d'une voix claire et grêle, l'appela trois fois par son nom. Ce n'est qu'en entendant cette voix que Casanova reconnut le personnage ; il s'approcha de la voiture qui venait de s'arrêter, prit en souriant les deux mains que lui tendait l'autre et s'écria :

« Est-ce possible ? C'est vous, Olivo ! — Oui, c'est bien moi, Monsieur Casanova ; alors, vous me reconnaissez ? — Pourquoi pas ! Evidemment, depuis le jour de votre mariage, — c'est la dernière fois que je vous ai vu — vous avez pris un léger embonpoint, mais moi aussi en ces quinze ans j'ai dû pas mal changer. — A peine, cria Olivo, autant dire pas du tout, Monsieur Casanova, d'ailleurs c'est seize ans qu'il y a, depuis quelques jours tout justement. Et vous pensez bien qu'à cette occasion nous avons parlé de vous un bon moment, Amélie et moi... — Vraiment, fit cordialement Casanova, vous vous souvenez encore un peu de moi tous les deux ?

Les yeux d'Olivo se mouillèrent. Il tenait toujours les mains de Casanova dans les siennes et les serraient maintenant avec émotion.

— Que ne vous devons-nous pas, Monsieur Casanova ? Et nous oublierions notre bienfaiteur ? Si jamais nous...

— Ne parlons pas de ça, interrompit Casanova. Comment va Amélie ? Mais au fait, comment se fait-il que pendant ces deux mois que je viens de passer à Mantoue — très retiré, il est vrai, mais pourtant je me suis beaucoup promené, suivant ma vieille habitude —

comment se fait-il que je ne vous ai jamais rencontré, l'un ou l'autre ?

— C'est bien simple, Monsieur Casanova ; voilà longtemps que nous n'habitons plus la ville, que je n'ai d'ailleurs jamais pu supporter, pas plus qu'Amélie. Faites-moi l'honneur, Monsieur Casanova, de monter dans ma voiture et en une heure nous serons à la maison.

Et comme Casanova voulait décliner cette offre.

— Ne me refusez pas ça. Amélie sera si heureuse de vous revoir et si fière de vous montrer nos trois enfants... Oui, trois, Monsieur Casanova, rien que des filles. Treize, dix et huit ans, donc aucune qui soit d'âge à se laisser — sauf votre respect — à se laisser tourner la tête par Casanova.

Et, avec un bon rire, il faisait mine de hisser tout simplement Casanova dans sa voiture. Mais celui-ci secoua la tête. Il avait été sur le point de céder à une curiosité bien concevable et d'accepter l'invitation d'Olivo, mais son impatience le reprit plus forte que jamais, et il déclara à Olivo qu'il était obligé malheureusement de quitter Mantoue le jour même pour affaires importantes. Qu'aurait-il été chercher dans la maison d'Olivo ? Seize ans, c'est une longue période ! Amélie, pendant ce temps, n'avait sûrement ni rajeuni ni embelli, il n'avait guère de chance, à son âge, de produire grand effet sur une fillette de treize ans; quant à Olivo, jadis mince adolescent très appliqué à ses études, l'idée de le contempler dans son milieu campagnard, en père de famille aisé, ne le séduisait pas assez pour lui faire ajourner un voyage qui le rapprochait de Venise. Mais Olivo ne semblait pas disposé à accepter si facilement le refus de Casanova; une fois celui-ci dans la voiture, il insista pour le conduire à son auberge, ce que Casanova ne pouvait décemment lui refuser. En quelques minutes ils y arrivèrent. L'hôtesse, belle femme, qui ne paraissait guère avoir dépassé la trentaine, salua Casanova à son entrée d'un regard qui ne laissa rien ignorer à Olivo de leurs tendres rapports. Quant à celui-ci, elle lui tendit la main comme à une vieille connaissance : elle avait coutume, expliqua-t-elle aussitôt à Casanova, de lui acheter tous les ans un certain petit vin très estimable, à la fois doux et piquant, qu'il récoltait sur son domaine. Olivo se plaignit immédiatement que le Chevalier de Seingalt (c'est le nom dont l'aubergiste avait salué Casanova, et Olivo n'hésita pas à l'employer à son tour), fut assez cruel pour refuser l'invitation d'un vieil ami qu'il venait de retrouver, et cela pour ce motif ridicule qu'il devait aujour-d'hui, oui précisément aujourd'hui, quitter Mantoue. L'air surpris de l'aubergiste lui révéla aussitôt qu'elle ne savait rien jusque-là de cette intention de Casanova, et celui-ci crut bon là-dessus d'expliquer que ce projet de voyage n'avait été qu'un prétexte, pour ne pas importu-ner par une visite si inattendue la famille de son ami. En réalité il avait à terminer d'ici quelques jours un important travail littéraire, pour lequel aucun endroit ne convenait mieux que cette excellente auberge, où il avait à sa disposition une chambre tranquille et fraîche. Sur quoi Olivo déclara que ce serait le plus grand hon-neur qui pût échoir à sa modeste demeure que de voir le Chevalier de Seingalt y achever son œuvre ; l'isolement de la campagne ne pouvait être que favorable à une telle entreprise. D'ail-leurs les ouvrages d'érudition propres à l'aider, s'il en avait besoin, ne manqueraient pas à Casanova : une nièce à lui Olivo, une fille de feu son demi-frère, qui, bien que toute jeune, était déjà très instruite, était arrivée chez eux il y avait quelques semaines, avec une pleine caisse de livres. Si parfois quelques visites venaient le soir, Monsieur le Chevalier n'aurait pas à s'en occuper, — à moins qu'après son labeur et sa fatigue de la journée une causerie

18

enjouée ou une petite partie de cartes ne lui paraissent une distraction bienvenue.

Casanova n'eut pas plutôt entendu parler d'une jeune nièce qu'il résolut d'aller voir de près ce qu'elle était. Après quelques feintes hésitations il finit par céder aux instances d'Olivo, mais se hâta d'affirmer qu'il ne pourrait en tout cas rester plus de deux ou trois jours loin de Mantoue et recommanda à son aimable hôtesse de lui faire parvenir sans retard et par exprès les lettres qui pourraient lui arriver entre-temps et qui seraient peut-être de la plus haute importance. Les choses ainsi réglées à la grande satisfaction d'Olivo, Casanova monta dans sa chambre, fit ses préparatifs, et un quart d'heure après il rentrait dans la salle où Olivo était en grande conversation d'affaires avec l'aubergiste. Ce dernier se leva, vida son verre de vin et, avec un clin d'œil d'intelligence, promit à la femme de lui rendre le Chevalier, — sinon le lendemain ou le surlendemain, — en tout cas intact et en bon état. Quant à Casanova, subitement distrait et pressé, il prit si froidement congé de son hôtesse et amie qu'à la portière de la voiture elle lui chuchota à l'oreille un mot d'adieu qui n'avait rien de tendre.

Tandis que les deux hommes roulaient sur la route poussiéreuse que chauffait le soleil de midi, Olivo racontait sans ordre et de façon prolixe les événements de son existence : peu de temps après son mariage il avait acheté, à proximité de la ville, un bout de terrain et avait fait le commerce des légumes, en petit d'abord, puis, agrandissant peu à peu son domaine, il s'était mis à faire de l'agriculture ; enfin, grâce à ses efforts et à ceux de sa femme, et avec l'aide de Dieu, il avait si bien réussi qu'il avait pu, trois ans plus tôt, acquérir du Comte Marazzani, qui était criblé de dettes, son vieux château, quelque peu délabré, il est vrai, et les vignes attenantes : ainsi, avec sa femme et ses enfants il était maintenant installé dans une propriété seigneuriale, où il vivait, non certes comme un noble, mais comme un bourgeois à son aise. Et tout cela il le devait en somme uniquement aux cent cinquante pièces d'or que sa fiancée, ou plutôt sa mère, avait reçues de Casanova. Sans ce secours providentiel, son sort serait encore ce qu'il était autrefois : apprendre à lire et à écrire à des polissons mal élevés, et sans doute serait-il resté célibataire et Amélie vieille fille.

Casanova le laissait parler et l'écoutait à peine. Il se rappelait cette aventure dans laquelle il s'était laissé entraîner comme dans tant d'autres plus importantes, et qui, étant une des moindres, avait jadis aussi peu occupé son cœur que maintenant son souvenir. Lors d'un voyage de Rome à Paris, ou à Turin, — il ne savait plus au juste — pendant un bref séjour à Mantoue, il avait, un matin, aperçu cette Amélie à l'église. Son joli visage un peu pâle, et qui portait des traces de larmes, lui avait plu et il lui avait adressé la parole sur un ton amical et galant. Avec cette confiance que toutes les femmes lui témoignaient en ce temps-là, elle lui avait volontiers ouvert son cœur : il apprit ainsi que, dans une situation difficile elle-même, elle s'était éprise d'un pauvre diable de maître d'école, dont le père, ainsi que sa mère à elle, refusait son consentement à cette union sans avenir. Casanova se déclara aussitôt prêt à arranger les choses. Il se fit tout d'abord présenter à la mère d'Amélie, et, comme celle-ci, jolie veuve de trente-six ans, pouvait encore prétendre aux hommages, Casanova fut bientôt en si bons termes avec elle que son intervention obtint tout ce qu'il voulut. Dès qu'elle eut renoncé à son opposition, le père d'Olivo, commerçant ruiné, ne fit pas attendre son consentement, surtout quand Casanova, qu'on lui avait présenté comme un parent éloigné de la fiancée, se fut généreusement engagé à faire les frais du mariage et d'une partie du trousseau. A ce noble bienfaiteur, qui lui était apparu comme un messager descendu du ciel, Amélie ne pouvait faire autrement que de témoigner sa reconnaissance de la façon que lui inspirait son cœur. Quand, la veille de ses noces, elle s'arracha, les joues brûlantes à la dernière étreinte de Casanova, elle était bien loin de penser qu'elle pût avoir quelque tort à l'égard de son fiancé qui, somme toute, ne devait son bonheur qu'à la gracieuseté et à la noblesse de sentiment de ce merveilleux étranger. Olivo avait-il reçu l'aveu de la forme particulière qu'avait prise la reconnaissance d'Amélie envers son bienfaiteur ? Avait-il peut-être accepté son sacrifice comme allant de soi et sans jalousie rétrospective ? Ou bien ce qui s'était passé était-il resté pour lui un secret jusqu'à aujourd'hui ? Casanova ne s'était jamais inquiété de le savoir et ne s'en souciait toujours pas.

La chaleur ne faisait qu'augmenter. La voiture, mal suspendue et garnie de coussins fort durs, les cahotait et les secouait sans pitié. Le bavardage cordial d'Olivo qui, de sa voix grêle, ne cessait de vanter à son compagnon la fertilité de ses terres, les qualités ménagères de sa femme et la bonne éducation de ses enfants, ainsi que les agréables et paisibles relations qu'il entretenait avec les nobles ou paysans du voisinage, ce bavardage commençait à ennuyer Casanova. Il se demandait, furieux, pourquoi diable il avait accepté une invitation qui ne pouvait aboutir qu'à des désagréments et même à une déception. Il regrettait sa chambre si fraîche à l'auberge de Mantoue, où à cette heure il aurait pu travailler tranquillement à sa controverse contre Voltaire, et il était bien décidé à descendre à la prochaine auberge — elle était déjà en vue —, à louer la première carriole disponible et à rebrousser chemin. Mais Olivo lança tout à coup un sonore « Hola, hé ! », se mit à sa manière à faire des signaux des deux mains, puis saisissant Casanova par le bras, lui montra une voiture qui venait de s'arrêter près de la leur et comme de concert. De l'autre sautèrent à terre, à la file, trois toutes petites filles, si vivement que l'étroite planche qui leur servait de siège sauta en l'air et culbuta. « Mes filles, fit Olivo, non sans orgueil, en se tournant vers Casanova et, comme celui-ci faisait aussitôt mine de se lever de sa place, — Restez assis, mon cher Chevalier, nous arriverons dans un quart d'heure et jusque-là nous pouvons très bien nous arranger tous dans ma voiture. Maria, Nanetta, Teresina, regardez, voici le Chevalier de Seingalt, un vieil ami de votre père ; approchez et baisez-lui la main, car sans lui vous seriez... il s'interrompit et murmura à Casanova : — J'ai failli lâcher une sottise... Sans lui bien des choses ne seraient pas ce qu'elles sont.

Les petites filles, aux cheveux et aux yeux noirs comme ceux de leur père, et toutes, même l'aînée, Teresina, l'air encore enfant, considéraient l'étranger avec une curiosité sans façon un peu rustaude, et Maria, la plus jeune, pour obéir à l'ordre de son père, se mettait en devoir de lui baiser très gravement la main. Casanova ne la laissa pas faire, mais, prenant les trois petites têtes l'une après l'autre dans ses mains, il embrassa les fillettes sur les deux joues. Pendant ce temps, Olivo échangeait quelques mots avec le jeune conducteur de la voiture des enfants, sur quoi celui-ci fouettant son cheval continua sa route vers Mantoue.

Au milieu des rires et de disputes plaisantes les petites filles s'assirent sur la banquette de devant en face des deux hommes. Etroitement serrées l'une contre l'autre, elles parlaient toutes à la fois, et, comme leur père ne tarissait pas non plus, il n'était pas facile au début pour Casanova de comprendre grand-chose à ce qu'elles racontaient. Un nom se détachait de ce babillage : celui d'un certain lieutenant Lorenzi. Il venait, déclarait Teresina, de les croiser peu auparavant, à cheval, il avait annoncé sa visite pour le soir et envoyait ses amitiés à leur père. Elles racontèrent ensuite que leur maman avait d'abord eu l'intention de venir elle aussi à la rencontre de leur papa, mais, vu la grande chaleur, elle avait préféré rester à la maison avec Marcolina. Mais celle-ci était encore au lit quand on avait quitté la maison, et du jardin, par la fenêtre ouverte, elles l'avaient bombardée de baies et de noisettes, sans quoi elle dormirait sans doute encore.

— Ce n'est pas l'habitude de Marcolina, dit Olivo en se tournant vers son invité ; d'ordinaire, dès six heures, quand ce n'est pas plus tôt, elle est assise au jardin où elle étudie jusqu'à midi. Hier, il est vrai, nous avions du monde et la soirée s'est prolongée un peu plus que d'habitude : on a joué un peu — oh, pas une de ces parties auxquelles Monsieur le Chevalier est accoutumé. Nous sommes gens sans malice et nous ne cherchons pas à nous prendre notre argent. D'ailleurs notre digne abbé est généralement de la partie, aussi vous pensez bien qu'on ne se fait pas grand mal.

Au nom de l'abbé les petites filles éclatèrent de rire et eurent Dieu sait quoi à se raconter, ce qui fit repartir les rires de plus belle. Casanova se contentait d'incliner distraitement la tête : il voyait en imagination cette Marcolina, qu'il ne connaissait pas encore, étendue dans son lit blanc, en face de la fenêtre, la couverture rejetée, à demi-nue, se protégeant de ses mains encore alourdies de sommeil contre baies et noisettes, et une ardeur folle enflamma ses sens. Que Marcolina fût la maîtresse de ce lieutenant Lorenzi, il n'en doutait pas plus que s'il les avait surpris dans une étreinte amoureuse, et il était tout prêt à haïr ce lieutenant inconnu qu'était violent le désir qui l'entraînait vers cette Marcolina, qu'il n'avait jamais vue.

Dans la brume de chaleur de ce midi brûlant, surgissant au-dessus de feuillages gris-vert, on apercevait une tourelle carrée. Bientôt, quittant la grand-route, la voiture s'engagea dans un chemin latéral; à gauche, des vignes escaladaient la pente d'une colline, à droite, des arbres centenaires inclinaient leur cime sur le mur d'un jardin. La voiture s'arrêta devant un porche, dont les battants de bois vermoulu étaient grands ouverts, les voyageurs descendirent, et le cocher sur un signe d'Olivo continua vers l'écurie. Une large allée ombragée de marronniers conduisait au petit manoir qui, à première vue, paraissait un peu nu et même négligé. Ce qui frappa d'abord les yeux de Casanova ce fut, au premier étage, une fenêtre brisée ; il ne lui échappa pas non plus que la balustrade de la plate-forme de la tour, assez large, était çà et là en mauvais état. Par contre la porte d'entrée était ornée de belles sculptures, et en pénétrant dans le vestibule Casanova constata aussitôt que l'intérieur de la maison était mieux entretenu et en tout cas en bien meilleur état que ne l'aurait laissé supposer l'extérieur.

— Amélie ! cria Olivo, d'une voix qui fit résonner les murs, descends aussi vite que tu pourras. Je t'amène une visite, Amélie, et quelle visite !

Mais Amélie avait déjà paru en haut de l'escalier, sans que les autres, qui passaient du grand soleil à la pénombre, eussent pu l'apercevoir. Casanova, dont le regard vif avait gardé la faculté de percer même l'obscurité, l'avait vue avant son mari. Il sourit et sentit que ce sourire lui rajeunissait le visage. Amélie n'avait pas du tout engraissé, comme il le craignait, elle était toujours svelte et jeune. Elle l'avait aussitôt reconnu.

— Quelle surprise, quel bonheur ! cria-t-elle sans le moindre embarras, et, descendant rapidement l'escalier, elle tendit la joue à Casanova en manière de bienvenue, et celui-ci, sans plus de façon, l'embrassa comme une très chère amie.

— Et vous voulez me faire croire, dit-il ensuite, que Maria, Nanetta et Teresina sont vos filles, Amélie ? Si l'on considère le temps écoulé, cela se pourrait, il est vrai.

— Et si l'on considère tout le reste aussi, riposta Olivo, vous pouvez m'en croire, Chevalier.

Amélie jeta sur Casanova un regard tout noyé de souvenirs.

— C'est sans doute ta rencontre avec le Chevalier qui t'a mis si en retard, Olivo ? dit-elle.

— Oui, Amélie, mais j'espère que, malgré mon retard, il y a encore quelque chose à manger ?

— Nous n'avons naturellement pas voulu nous mettre à table sans toi, Marcolina et moi, et pourtant nous avions grand-faim.

28

— Voudrez-vous, demanda Casanova, patienter encore un peu et me donner le temps de me débarrasser de la poussière de la route ?

— Je vais vous montrer votre chambre, dit Olivo, et j'espère, Chevalier, que vous en serez satisfait, presque autant — il cligna des yeux et ajouta plus bas — que dans votre auberge de Mantoue... quand il vous y manquerait quelque chose.

Et prenant les devants il gravit l'escalier jusqu'à la galerie qui faisait le tour du vestibule ; dans l'angle le plus éloigné un étroit escalier de bois montait en spirale. Arrivé en haut, Olivo ouvrit la porte de la tourelle et, s'effaçant sur le seuil, montra la pièce à Casanova, avec force formules de politesse, comme une bien modeste chambre d'amis. Une servante apporta la valise et se retira avec Olivo. Resté seul, Casanova se vit dans une chambre assez spacieuse, sommairement meublée mais où ne manquait rien du nécessaire. Par quatre hautes et étroites fenêtres cintrées la vue s'étendait de tous côtés sur la plaine ensoleillée, que coupaient des routes blanches, et toute parsemée de vignes verdoyantes, de prairies bigarrées, de champs dorés, de maisons claires et de jardins ombragés. Mais Casanova ne s'intéressa pas longtemps à la vue et se hâta de faire sa toilette, moins poussé par la faim que par une lancinante curiosité de se trouver aussi tôt que possible en face de Marcolina. Il ne changea même pas de vêtements, projetant de ne se montrer que le soir sous un aspect plus brillant.

Quand il pénétra au rez-de-chaussée dans la salle à manger tout en boiseries, autour de la table bien servie, il aperçut, outre le couple et ses trois enfants, une jeune fille à la silhouette élégante, vêtue d'une robe d'un gris chatoyant qui tombait en plis simples. Elle lui jeta un regard aussi naturel que s'il eût été de la maison ou qu'elle l'eût déjà vu cent fois s'asseoir à cette table, en habitué. Il n'y avait rien dans ce regard de ces flammes qui jadis l'avaient si souvent accueilli, même quand il arrivait en inconnu, dans l'éclat séduisant de sa jeunesse ou dans la beauté redoutable de son âge viril : mais c'était une expérience qui depuis long-temps n'avait plus rien de nouveau pour lui. Pourtant ces derniers temps encore, son nom seul suffisait à mettre sur les lèvres des femmes une expression d'admiration attardée ou tout au moins un léger tressaillement de regret, qui révélait combien on eût eu plaisir à le rencon-trer quelques années plus tôt. Mais quand Olivo le présenta à sa nièce comme Monsieur Casanova, Chevalier de Seingalt, elle eut le même sourire que si on eût prononcé un nom quelconque, n'évoquant aucun souvenir d'aventures et de mystères. Même quand il s'assit à côté d'elle, qu'il lui baisa la main et lui lança des regards tout brillants d'admiration et de convoitise, l'air de la jeune fille ne trahit rien de la satisfaction délicate qu'on eût pu attendre en réponse, pleine de réserve, à un si ardent hommage.

Après quelques banalités courtoises pour entrer en matière, Casanova informa sa voisine qu'il était au courant de ses aspirations scientifiques et lui demanda à quelle science elle s'adonnait en particulier ? Elle répondit qu'elle se consacrait surtout à l'étude des hautes mathématiques, à laquelle l'avait initiée le professeur Morgagni, le maître fameux de l'Université de Bologne. Il exprima son étonnement : pareil goût pour une matière si difficile et en même temps si prosaïque était vraiment chose rare chez une gracieuse jeune fille, mais Marcolina répliqua que les hautes mathématiques étaient, à son avis, de toutes les sciences celle qui parlait le plus à l'imagination, on pouvait dire la plus divine. Casanova réclamait une explication plus précise sur une conception pour lui si nouvelle, mais la jeune fille se déroba modestement, prétendant que tous les convives, et son cher oncle en particulier, aimeraient bien mieux apprendre des détails sur la vie vagabonde d'un ami qu'on n'avait pas vu depuis si longtemps qu'assister à un entretien philosophique. Amélie appuya vivement cette requête et Casanova, toujours disposé à satisfaire des désirs de ce genre, déclara d'un ton léger que ces derniers temps il avait eu surtout à remplir des missions diplomatiques secrètes qui l'avaient conduit, pour ne nommer que les principales villes, à Madrid, Paris, Londres, Amsterdam et Saint-Pétersbourg. Il raconta ses rencontres et ses entretiens, tantôt sérieux, tantôt plaisants, avec des hommes et des femmes de toute condition, et n'oublia pas de rappeler l'accueil amical qu'on lui avait fait à la cour de Catherine de Russie ; puis il narra de façon fort divertissante comment Frédéric le Grand avait failli faire de lui, dans son école de Cadets, l'instructeur des hobereaux poméraniens, — danger auquel il s'était soustrait par une fuite rapide. De tout cela et de bien d'autres choses il parlait comme d'incidents récents, alors qu'en réalité ces faits remontaient à des années, voire à des dizaines d'années. Il y ajoutait d'ailleurs mainte invention, sans avoir bien conscience de ses gros ou menus mensonges, tout heureux de son propre humour et de l'intérêt avec lequel on l'écoutait. Et pendant qu'il racontait et inventait ainsi, il lui semblait presque être encore le Casanova d'autrefois, le brillant, l'effronté favori de la fortune, qui roulait à travers le monde entouré de jolies femmes, que des princes séculiers ou ecclésiastiques comblaient de leurs faveurs, qui dissipait, risquait au jeu ou distribuait des sommes considérables, et non pas un pauvre hère sans ressources, réduit à vivre des subsides dérisoires que lui accordaient d'anciens amis d'Angleterre ou d'Espagne — subsides qui ne lui parvenaient même pas toujours, si bien qu'il ne pouvait compter que sur les quelques misérables pièces d'or qu'il gagnait au baron Perotti ou à ses hôtes. Oui, il oubliait même que le but suprême à atteindre lui paraissait être d'aller achever son existence, jadis si brillante, dans sa ville natale qui, après l'avoir emprisonné, l'avait après sa fuite, banni et exilé, d'y finir ses jours comme le plus humble de ses citoyens, comme un scribe, un mendiant, un rien du tout.

Marcolina elle aussi l'écoutait avec attention, mais sans manifester rien de plus que quand on lui lisait dans un livre quelque histoire assez intéressante. Un homme, un personnage, Casanova en chair et en os, qui avait vécu toutes ces aventures et bien d'autres, dont il ne disait rien, l'amant de milliers de femmes était assis près d'elle, et elle le savait, mais il n'en paraissait rien sur son visage. Bien d'autres lumières brillaient dans les yeux d'Amélie... Pour elle, il était toujours le Casanova d'autrefois ; sa voix exerçait sur elle la même séduction que seize ans plus tôt, et il sentait qu'il lui aurait suffi d'un mot, de moins encore, pour renouer avec elle, dès qu'il le voudrait, l'aventure de jadis. Mais que lui importait Amélie à cette heure où il désirait Marcolina comme jamais encore il n'avait voulu aucune autre ? A travers l'étoffe chatoyante qui enveloppait le corps de la jeune fille il croyait la voir nue ; les boutons fleuris de ses seins se dressaient vers lui, et, comme elle se penchait un moment pour ramasser son mouchoir glissé à terre, l'imagination enflammée de Casanova donna à ce mouvement un sens si lascif qu'il se sentit prêt à défaillir. Il dut malgré lui s'arrêter une seconde dans son récit et son trouble n'échappa pas plus à Marcolina, que le vacillement de son regard, et il lut dans celui de la jeune fille un brusque étonnement, une sorte de défense et jusqu'à une nuance de dégoût. Il se ressaisit vite et il se préparait à continuer son

34

récit avec un nouvel entrain quand entra un ecclésiastique replet que le maître de la maison salua du nom d'abbé Rossi. Casanova reconnut aussitôt le prêtre qu'il avait rencontré vingt-sept ans auparavant sur un coche d'eau qui allait de Venise à Chioggia.

— Vous aviez ce jour-là un œil bandé, dit Casanova qui ne manquait jamais une occasion de faire parade de son excellente mémoire, et une paysanne coiffée d'une marmotte jaune vous recommanda une pommade souveraine que portait par hasard sur lui un jeune pharmacien fortement enroué.

L'abbé acquiesça de la tête et sourit, flatté. Puis, l'air malicieux, il s'approcha de Casanova, comme s'il avait un secret à lui confier, mais lui dit à haute voix :

— Et vous, Monsieur Casanova, vous étiez en compagnie d'une noce..., invité de rencontre ou garçon d'honneur, je n'en sais rien, mais en tout cas la mariée vous faisait des yeux beaucoup plus tendres qu'à son fiancé... Soudain le vent se leva, presque une tempête, et vous vous mîtes à lire tout haut une poésie extrêmement osée.

— Ce qu'en faisait le Chevalier, dit Marcolina, c'était certainement pour apaiser l'orage.

— Je ne me suis jamais flatté d'avoir ce

35

pouvoir miraculeux, répliqua Casanova, mais je ne conteste pas que personne ne s'inquiéta plus de la tempête dès que j'eus commencé à lire ces vers.

Les trois fillettes s'étaient rapprochées de l'abbé, et elles avaient leurs raisons pour cela. Car il tirait de ses énormes poches d'exquises friandises en quantité et de ses gros doigts les glissait entre les lèvres des enfants. Cependant Olivo expliquait en grand détail comment il avait retrouvé Casanova, et Amélie, comme perdue dans un rêve, tenait ses yeux brillants fixés sur la tête brune et impérieuse de cet hôte chéri. Les enfants coururent au jardin, Marcolina, qui s'était levée, les regardait par la fenêtre ouverte. L'abbé avait à transmettre les compliments du marquis Celsi qui, si sa santé le lui permettait, comptait venir le soir même avec sa femme chez son bon ami Olivo.

— Voilà qui se trouve à merveille, dit celui-ci, nous aurons ainsi en l'honneur du Chevalier une jolie petite réunion de joueurs : j'attends également les frères Ricardi, et Lorenzi doit venir aussi, les enfants l'ont rencontré qui faisait sa promenade à cheval.

— Il est encore là ? demanda l'abbé ; il y a

déjà une semaine il devait aller rejoindre son régiment.

— La marquise lui aura obtenu une permission de son colonel, fit Olivo en riant.

— Je suis surpris, observa Casanova, que les officiers de Mantoue puissent avoir des permissions en ce moment. Deux de mes amis, continua-t-il, inventant de toutes pièces, l'un de Mantoue, l'autre de Crémone, sont partis avec leurs régiments dans la direction de Milan.

— Est-ce qu'il y a la guerre ? demanda Marcolina sans quitter la fenêtre ; elle s'était retournée, et les traits de son visage dans l'ombre restaient impénétrables, pourtant Casanova, et lui seul, avait remarqué un léger tremblement dans sa voix.

— Ce ne sera peut-être rien, fit-il négligemment, mais puisque les Espagnols prennent une attitude menaçante il s'agit d'être prêt.

— Sait-on seulement, demanda Olivo d'un air si important, en fronçant les sourcils, de quel côté nous nous battrons, du côté de l'Espagne ou du côté de la France ?

— Voilà qui sera bien égal au lieutenant Lorenzi, remarqua l'abbé, pourvu qu'il réussisse à donner des preuves de sa bravoure.

— Il en a déjà fourni, dit Amélie ; à Pavie, il y a trois ans, il a vaillamment combattu.

Mais Marcolina gardait le silence.

Casanova était fixé. Il alla près d'elle et d'un large regard embrassa le jardin. Il ne vit rien qu'une grande prairie dans laquelle jouaient les enfants et que bordait près du mur une rangée de grands arbres touffus.

— Quelle magnifique propriété, dit-il en se tournant vers Olivo ; je serais curieux de la mieux connaître.

— Et moi, Chevalier, je ne souhaite rien tant que de vous promener à travers mes vignes et mes champs. Demandez plutôt à Amélie si je ne dis pas la vérité, si depuis que ce petit bien m'appartient je n'ai pas ardemment souhaité de vous offrir l'hospitalité dans mon domaine. Dix fois j'ai été sur le point de vous écrire pour vous inviter. Mais était-on jamais sûr qu'une lettre vous parviendrait ? Quelqu'un racontait-il qu'on vous avait récemment aperçu à Lisbonne, on pouvait être certain que vous étiez entre-temps parti pour Varsovie ou pour Vienne. Et maintenant que je vous ai retrouvé par miracle, à l'heure même où vous vous disposiez à quitter Mantoue, et que j'ai réussi — non sans peine, Amélie — à vous attirer ici, vous vous montrez si avare de votre temps que — le croiriez-vous, Monsieur l'abbé ? — il ne veut pas nous accorder plus de deux jours.

— Le Chevalier se laissera peut-être persuader de prolonger un peu son séjour, dit l'abbé qui laissait fondre avec volupté dans sa bouche un morceau de pêche, et il jeta à Amélie un bref coup d'œil, d'où Casanova crut pouvoir comprendre que celle-ci avait fait plus de confidences à l'abbé qu'à son mari.

— Cela ne me sera malheureusement pas possible, répliqua nettement Casanova, car je ne peux cacher à des amis qui s'intéressent si vivement à mon sort, que les Vénitiens, mes concitoyens, sont sur le point de m'accorder pour le tort qu'ils m'ont causé, il y a des années, une satisfaction, un peu tardive mais d'autant plus honorable. Je ne pourrais me dérober plus longtemps à leurs instances, sous peine de paraître ingrat ou même rancunier.

D'un léger mouvement de la main il arrêta une question respectueuse mais indiscrète qu'il voyait se former sur les lèvres d'Olivo et ajouta vivement :

— Eh bien, Olivo, je suis prêt, montrez-moi votre petit royaume.

— Ne vaudrait-il pas mieux attendre que la grosse chaleur fût tombée ? suggéra Amélie. Le Chevalier préférera sans doute se reposer un peu pour le moment, ou bien se promener à l'ombre ? Et de ses yeux, montait vers Casanova, une humble supplication, comme si durant cette promenade dans le jardin son destin devait se décider une seconde fois.

Personne n'avait rien à objecter à la proposition d'Amélie, et l'on sortit. Marcolina, devançant les autres, courut, en plein soleil, à travers la prairie, rejoindre les enfants qui jouaient au volant et s'associa à leur jeu. Elle était à peine plus grande que l'aînée des fillettes, et comme ses cheveux, naturellement ondulés, flottaient sur ses épaules, elle avait elle-même l'air d'une enfant. Olivo et l'abbé s'assirent dans l'allée sur un banc de pierre, près de la maison. Amélie continua à marcher en compagnie de Casanova. Dès qu'ils furent assez loin pour ne plus être entendus, elle commença à lui parler avec les inflexions d'autrefois, comme si la voix qu'elle avait pour Casanova n'avait jamais retenti pour un autre.

— Ainsi te voilà revenu, Casanova ! Comme j'ai aspiré à ce jour ! Il devait venir, je le savais.

— C'est par hasard que je suis là, dit-il froidement. Amélie se contenta de sourire.

— Appelle cela comme tu voudras, tu es là. Depuis seize ans je n'ai pas rêvé à autre chose qu'à ce jour.

— Il faut bien admettre, riposta Casanova,

qu'au cours de cette période tu as rêvé à bien d'autres choses… et fait même un peu plus que rêver.

Amélie secoua la tête.

— Tu sais bien qu'il n'en est pas ainsi, Casanova. Et toi non plus tu ne m'as pas oubliée, autrement, tu n'aurais pas accepté l'invitation d'Olivo, puisque tu es si pressé d'arriver à Venise.

— Qu'est-ce que tu te figures donc, Amélie ? Que je suis venu ici pour en faire porter à ton brave homme de mari ?

— Pourquoi parler ainsi, Casanova ? Si je t'appartenais de nouveau, il n'y aurait ni tromperie ni péché.

Casanova rit bruyamment.

— Pas de péché ? Et pourquoi pas de péché ? Parce que je suis vieux ?

— Tu n'es pas vieux, pour moi tu ne le seras jamais. C'est dans tes bras que j'ai, pour la première fois, connu la volupté — et ma destinée est certainement de la goûter aussi avec toi pour la dernière fois.

— La dernière fois, répéta Casanova avec ironie, sans toutefois pouvoir se défendre d'une certaine émotion… mon ami Olivo aurait là-dessus plus d'une objection à faire.

— Cela, répliqua Amélie en rougissant, c'est

le devoir, du plaisir, si l'on veut, ce n'est pas du bonheur, ce n'en a jamais été.

Ils n'allèrent pas jusqu'au bout de l'allée comme s'ils redoutaient tous deux d'approcher de la prairie où jouaient Marcolina et les enfants ; comme s'ils s'étaient donné le mot ils firent demi-tour et bientôt, sans plus rien dire, ils étaient près de la maison. Une fenêtre du rez-de-chaussée était ouverte, sur le petit côté du bâtiment. Au fond de la pièce, dans la pénombre, Casanova aperçut un rideau à demi relevé, derrière lequel se distinguait un lit, et sur une chaise à côté, une robe légère, transparente comme un voile.

— La chambre de Marcolina ? demanda-t-il.

Amélie fit signe que oui, puis gaiement et, en apparence, sans arrière-pensées :

— Elle te plaît ?

— Oui, elle est jolie.

— Jolie et sage.

Casanova haussa les épaules comme pour indiquer qu'il n'en demandait pas tant. Puis il reprit :

— Si tu me voyais aujourd'hui pour la première fois, est-ce que je te plairais, Amélie ?

— Je ne sais pas si tu es différent aujourd'hui de ce que tu étais naguère. Je te vois tel que tu étais autrefois, tel que je t'ai toujours vu depuis lors, même dans mes rêves.

— Mais regarde-moi donc Amélie ! Ces rides sur mon front... ces plis à mon cou, et cette patte d'oie, là, des yeux jusqu'aux tempes ! Et là, oui là, au fond, il me manque une dent — et il ouvrit la bouche en ricanant. Et mes mains, regarde-les, Amélie, des doigts comme des griffes, de petites taches jaunes sur les ongles... et ces veines, là, bleues et gonflées... des mains de vieillard, Amélie !

Elle prit ses deux mains qu'il lui tendait et dans l'ombre de l'allée elle les baisa l'une après l'autre avec dévotion.

— Et cette nuit je baiserai tes lèvres, conclut-elle avec une tendresse humble qui l'exaspéra.

Non loin d'eux, au bord de la prairie, Marcolina couchée sur l'herbe, les mains croisées sous la tête, regardait le ciel, et les balles des enfants volaient par-dessus elle. Brusquement elle leva un bras, cherchant à atteindre une balle, et l'ayant attrapée, lança un joyeux éclat de rire ; les enfants se jetèrent sur elle, elle ne pouvait se débarrasser d'eux, ses cheveux flottaient au vent... Casanova était frémissant.

— Tu ne baiseras ni mes lèvres ni mes mains, dit-il à Amélie, et tu m'auras attendu en vain, et en vain tu auras rêvé de moi... à moins que je n'aie d'abord possédé Marcolina.

— Tu es fou, Casanova! s'écria Amélie, la voix douloureuse.

— Eh bien nous n'avons rien à nous reprocher mutuellement, dit-il; tu es folle, toi qui crois retrouver en moi, maintenant vieilli, l'amant de ta jeunesse, et moi parce que je me suis mis en tête de posséder Marcolina. Mais peut-être nous sera-t-il donné à tous deux de revenir à la raison. Ainsi plaide ma cause auprès d'elle, Amélie.

— Tu n'es pas dans ton bon sens, Casanova, c'est impossible. Elle ne veut pas entendre parler des hommes...

Casanova éclata de rire :

— Et le lieutenant Lorenzi ?

— Eh bien quoi... le lieutenant Lorenzi ?

— C'est son amant, je le sais.

— Comme tu te trompes : il a demandé sa main, et elle la lui a refusée. Et pourtant il est jeune, il est beau, presque plus beau, je crois, que tu n'as jamais été, Casanova !

— Il l'aurait demandée en mariage ?

— Interroge Olivo, si tu ne me crois pas.

— Eh bien cela m'est égal. Que m'importe qu'elle soit vierge ou ne soit qu'une fille, qu'elle soit fiancée ou veuve : je veux l'avoir, je la veux.

— Je ne peux te la donner, mon pauvre ami.
Et il sentit au ton de sa voix qu'elle le plaignait.

— Tu vois, dit-il, quel pauvre diable je suis devenu, Amélie. Il y a encore dix, encore cinq ans, je n'aurais eu besoin d'aucune aide, d'aucune intervention, quand Marcolina aurait été la déesse même de la vertu. Aujourd'hui je veux que tu fasses l'entremetteuse. Ou bien si j'étais riche,... oui, avec dix mille ducats... mais je n'en ai pas dix. Je ne suis plus qu'un mendiant, Amélie.

— Pour cent mille ducats tu ne l'aurais pas. Que lui importe la richesse ? Elle aime les livres, le ciel, les prairies, les papillons et les jeux d'enfants... Grâce à son petit héritage elle a plus qu'il ne lui faut.

— Oh que ne suis-je un prince ! s'écria Casanova, sur un ton un peu déclamatoire, comme cela lui arrivait parfois quand une passion sincère le soulevait. Si j'avais le pouvoir de jeter des hommes en prison, de les faire mettre à mort... Mais je ne suis rien. Un mendiant... et un menteur en outre. Je mendie un emploi auprès des puissants Seigneurs de Venise, un morceau de pain, un abri. Que suis-je devenu ! Est-ce que je ne te dégoûte pas, Amélie ?

— Je t'aime, Casanova.

— Alors procure-la-moi, Amélie. Cela ne dépend que de toi, j'en suis sûr. Dis-lui ce que tu voudras, dis-lui que je vous ai menacés, que je suis capable de mettre le feu à votre maison. Dis-lui que je suis un dément, un fou dangereux, échappé d'un asile, mais que l'étreinte d'une vierge pourrait me rendre la raison. Oui, dis, dis-lui cela.

— Elle ne croit pas aux miracles.

— Comment ? Elle ne croit pas aux miracles ? Alors elle ne croit pas en Dieu non plus. Tant mieux ! Je suis très bien avec l'archevêque de Milan, dis-le-lui ! Je peux la perdre. Je peux vous perdre tous. C'est vrai, Amélie. Qu'est-ce que c'est que ces livres qu'elle lit ? Il y en a sûrement dans le nombre que l'Eglise interdit. Laisse-moi les voir, j'en ferai une liste. Un mot de moi...

— Tais-toi, Casanova. La voici qui vient. Ne te trahis pas. Prends garde à tes yeux. Jamais, Casanova, jamais, écoute-moi bien, je n'ai connu un être plus pur. Si elle soupçonnait ce que tu viens de me forcer à entendre, elle se considérerait comme souillée et tu ne la reverrais plus de tout ton séjour ici. Parle-lui, oui,

46

cause avec elle, et tu lui demanderas pardon, et à moi aussi.

Marcolina s'avançait avec les enfants. Ceux-ci coururent en avant dans la maison, tandis qu'elle, par politesse pour l'hôte, s'arrêtait devant lui et qu'Amélie s'éloignait à dessein. Alors il sembla à Casanova que de ces lèvres pâles et entrouvertes, que de ce front lisse, qu'entouraient des cheveux blond foncé maintenant relevés, un souffle de chasteté rigoureuse venait à lui ; un sentiment qu'il avait rarement éprouvé à l'égard d'une femme, pas même à l'égard de celle-ci jusque-là, une sorte de dévotion, de soumission sans désir lui emplit le cœur. Et avec une réserve, sur un ton de respect, comme on se plaît à en témoigner à ses supérieurs, et qui devait la flatter, il lui demanda si elle avait l'intention de consacrer encore sa soirée à l'étude. Elle répondit qu'à la campagne elle n'avait pas coutume de travailler régulièrement, pourtant elle ne pouvait empêcher que certains problèmes de mathématiques dont elle s'occupait en ce moment ne lui reviennent à l'esprit, même aux heures de repos ; c'est ce qui lui était arrivé pendant que, couchée dans la prairie, elle regardait le ciel. Mais quand Casanova, encouragé par son amabilité, voulut savoir, tout en plaisantant, quel était ce problème si ardu, et si indiscret, elle répliqua, non sans ironie, qu'il n'avait rien à voir avec cette fameuse Cabale, dans laquelle, à en croire les on-dit, le Chevalier de Seingalt était passé maître, et que par conséquent il ne saurait s'y intéresser.

Casanova fut vexé de l'entendre parler de la Cabale avec un dédain si marqué ; sans doute, dans des heures, rares à vrai dire, de retour sur lui-même, il s'avouait bien que cette étrange mystique des nombres qu'on appelle la Cabale n'avait ni sens ni fondement, qu'elle ne répondait en somme à rien dans la nature, que seuls des filous et des mystificateurs — il avait tour à tour joué ces deux rôles, mais toujours en maître — en usaient pour en imposer aux imbéciles et aux esprits crédules. Il n'en entreprit pas moins, en dépit de sa propre conviction, de défendre la Cabale contre Marcolina comme une science très sérieuse et d'une valeur reconnue. Il parla de la nature divine du nombre Sept, déjà signalé avec ce caractère dans les Saintes Ecritures, du sens profond et prophétique des pyramides de nombres, qu'il avait lui-même enseigné à construire suivant un nouveau système, et de la réalisation fréquente de ses prédictions basées sur ce système. N'avait-il pas voilà quelques années, à Amsterdam, par la construction d'une de ces pyramides, décidé le banquier Hope à consentir une assurance sur un navire que l'on croyait déjà perdu, ce qui lui avait fait gagner deux cent mille florins d'or? Cette fois encore il fut si adroit dans l'exposé de ses ingénieuses et fantaisistes théories, qu'il se mit, comme cela lui arrivait souvent, à croire à toutes les balivernes qu'il débitait, et qu'il n'hésita même pas à conclure que la Cabale n'était pas tant une simple branche que le couronnement métaphysique des Mathématiques.

Marcolina, qui jusque-là l'avait écouté très attentivement et, en apparence, très sérieusement, lui jeta tout à coup un regard mi-compatissant, mi-railleur, et lui dit :

— Mon cher Monsieur Casanova (elle parut éviter avec intention de lui donner son titre de chevalier), vous tenez à me donner une preuve significative de votre talent si connu de causeur, et je vous en suis bien sincèrement reconnaissante. Mais vous savez naturellement aussi bien que moi que non seulement la Cabale n'a rien à voir avec les Mathématiques, mais qu'elle est même une offense à leur essence propre, et n'a pas plus de rapport avec elles que le bavardage confus ou mensonger des sophistes n'en a avec les limpides et nobles doctrines d'un Platon et d'un Aristote.

— En tout cas, riposta vivement Casanova, vous voudrez bien m'accorder, belle et savante Marcolina, que les sophistes ne sont pas du tout ces gens stupides et méprisables que laisserait supposer votre jugement trop sévère. Ainsi, pour ne prendre qu'un exemple à notre époque, Monsieur de Voltaire : toute sa façon de penser et d'écrire nous permet de voir en lui le type même du sophiste ; l'idée ne viendra pourtant à personne — pas même à moi qui suis cependant, je le reconnais, son adversaire acharné, puisque, je ne le cache pas, je m'occupe en ce moment même à écrire un ouvrage contre lui, — même à moi, dis-je, il ne viendrait pas à l'idée de contester son génie extraordinaire. Et j'ajoute aussitôt que je ne me suis pas du tout laissé éblouir par les prévenances exagérées que Monsieur Voltaire a eu la bonté de me témoigner lors de ma visite à Ferney, il y a une dizaine d'années.

— C'est très bien à vous, remarqua Marcolina avec un sourire, de consentir à juger avec tant de bienveillance le plus grand esprit du siècle.

— Un grand esprit... le plus grand même ?

s'écria Casanova. Il est inadmissible à mon sens de le qualifier ainsi, d'abord parce qu'avec tout son génie c'est un impie, et même un athée. Et un athée ne peut jamais être un grand esprit.

— A mon avis, Monsieur le Chevalier, il n'y a là aucune incompatibilité. Mais il faudrait d'abord prouver qu'on peut traiter Voltaire d'athée.

Là, Casanova était dans son élément. Au premier chapitre de son pamphlet, il avait rassemblé quantité de passages extraits des ouvrages de Voltaire, en particulier de sa trop fameuse *Pucelle,* passages qui lui paraissaient particulièrement propres à prouver son incrédulité, et que, grâce à sa prodigieuse mémoire, il pouvait maintenant citer mot pour mot en même temps que ses ripostes. Mais il avait trouvé en Marcolina une adversaire qui ne lui était guère inférieure en connaissances et en vivacité d'esprit, et qui le dépassait même, sinon en facilité de parole, du moins en adresse dans la discussion et en clarté dans l'expression. Dans ces passages que Casanova avait mis en avant comme des preuves de l'ironie, du doute et de l'impiété de Voltaire, Marcolina, souple et prompte à la repartie, trouvait autant de témoignages du génie scientifique et littéraire de l'écrivain français aussi bien que de son ardeur infatigable à lutter pour la vérité. Le doute, l'ironie, l'incroyance même, elle l'affirmait hardiment, unis à une si vaste érudition, à une bonne foi si absolue et à un si noble courage, trouveraient sans doute plus grâce devant Dieu que l'humilité des dévots, derrière laquelle ne se masque le plus souvent qu'une incapacité absolue à raisonner logiquement, souvent même — et les exemples ne manquaient pas — la lâcheté et l'hypocrisie.

Casanova l'écoutait avec une surprise grandissante. Il se sentait incapable de convaincre Marcolina, d'autant qu'une certaine disposition d'esprit chancelante, qu'il s'était habitué en ces dernières années à prendre pour de la foi, risquait de s'évanouir complètement devant les objections de la jeune fille; il se réfugia donc dans des lieux communs : des opinions comme celles qu'elle venait d'exprimer étaient propres non seulement à compromettre l'ordre dans le domaine ecclésiastique, mais encore à ébranler les fondements même de la société. Et là-dessus, il se lança adroitement sur le terrain de la politique où, grâce à son expérience et à sa connaissance du monde, il pouvait espérer montrer une certaine supériorité sur son adversaire.

La connaissance du personnel politique manquait en effet à Marcolina et elle ne savait rien du monde de la cour et de la diplomatie, aussi dut-elle renoncer à le contredire sur les points de détail, même lorsqu'elle se sentait disposée à les mettre en doute. De ses remarques il n'en ressortait pas moins pour lui de façon incontestable qu'elle n'avait aucune considération pour les grands de la terre ni pour les institutions d'Etat, et qu'elle était convaincue que le monde, en gros et en détail, était moins gouverné que bouleversé par l'égoïsme et l'esprit de domination. Casanova avait rarement rencontré jusque-là pareille liberté de pensée chez une femme, jamais en tout cas chez une jeune fille qui n'avait certainement pas vingt ans. Et non sans mélancolie, il se rappelait que dans les temps passés, plus beaux que ceux d'aujourd'hui, son propre esprit, avec une hardiesse consciente et un peu suffisante, avait suivi ces mêmes routes sur lesquelles Marcolina se lançait maintenant, sans paraître se douter de sa témérité. Sous le charme de sa façon si personnelle de penser et de s'exprimer, il en oubliait presque qu'il marchait côte à côte avec une jeune et jolie femme, très désirable, et c'était d'autant plus étonnant qu'il était seul avec elle dans l'allée, maintenant pleine d'ombre, et assez loin de la maison. Tout à coup, s'interrompant au milieu d'une phrase, elle s'écria vivement, avec joie même : « Voici mon oncle ! » Et Casanova, comme s'il avait à rattraper une occasion perdue, lui murmura :

— Quel dommage ! J'aurais eu tant de plaisir, Marcolina, à causer encore avec vous pendant des heures.

Et il sentit, à ces mots, le désir s'allumer de nouveau dans ses yeux. Sur quoi Marcolina qui, au cours de leur entretien, et malgré son ironie, s'était presque laissée aller à la confiance, reprit aussitôt une attitude plus froide, et son regard exprima cette même réserve, presque cette antipathie qui avait déjà blessé profondément Casanova. Suis-je donc vraiment si répugnant ? se demanda-t-il avec angoisse. Non, se répondit-il. Ce n'est pas cela, mais Marcolina n'est pas une femme, c'est une savante, une philosophe, une merveille, si l'on veut, mais pas une femme. Et pourtant il savait bien qu'il ne cherchait qu'à se faire illusion, à se consoler, à se sauver et que ces tentatives étaient vaines. Olivo était devant eux.

— Eh bien, dit-il à Marcolina, n'ai-je pas bien fait de t'amener enfin quelqu'un avec qui tu puisses causer d'une façon aussi intéressante qu'avec tes professeurs de Bologne ?

— Même parmi eux, mon cher oncle, il n'y en a pas un qui aurait eu l'audace de lancer un défi à Voltaire en personne.

— Hein ? Voltaire ? Le Chevalier le provoque ? s'écria Olivo sans comprendre.

— Votre malicieuse nièce, Olivo, parle de la controverse qui m'occupe en ce moment. Divertissement pour les heures de loisir. J'avais jadis bien mieux à faire.

Sans tenir compte de cette remarque, Marcolina dit :

— Vous allez avoir pour votre promenade une fraîcheur bien agréable. Au revoir.

Et prenant congé d'un bref signe de tête, à travers la prairie elle regagna rapidement la maison. Casanova se retint pour ne pas la suivre du regard et demanda :

— Est-ce qu'Amélie nous accompagnera ?

— Non, mon cher Chevalier, répondit Olivo, elle a quantité de choses à faire et à mettre en ordre dans la maison, et puis c'est l'heure où elle a coutume de faire travailler ses filles.

— Quelle active ménagère et quelle bonne mère ! Vous êtes digne d'envie, Olivo !

— Oui, c'est ce que je me dis tous les jours, répliqua-t-il, les yeux humides.

Ils longèrent le petit côté de la maison. La fenêtre de Marcolina était toujours ouverte et, dans le clair-obscur de la chambre, la robe transparente, au ton vif, mettait une lueur. Par la large allée de marronniers ils arrivèrent à la route, maintenant complètement dans l'ombre. Lentement ils la gravirent en longeant le mur du jardin ; à l'endroit où elle tournait à angle droit commençaient les vignes. Entre les hauts échalas, où s'accrochaient de lourdes grappes bleu foncé, Olivo fit monter son hôte jusqu'au sommet et là, d'un geste qui disait la satisfaction, il désigna la maison qui se voyait au-dessous d'eux. A la fenêtre de la tourelle, Casanova crut apercevoir une silhouette féminine qui se levait et se baissait.

Le soleil descendait vers le couchant, mais il était encore chaud. La sueur coulait sur les joues d'Olivo, tandis que le front de Casanova restait parfaitement sec. Redescendant l'autre versant de la colline, ils arrivèrent dans de riches prairies. D'un olivier à l'autre, s'étendaient en cordons des sarments de vigne, et entre les rangées d'arbres se balançaient de hauts épis dorés.

— Bénédiction du soleil sous toutes les formes, dit Casanova, appréciant ce spectacle.

Olivo recommença de plus belle et avec un

plus grand luxe de détails encore son récit du matin : l'acquisition progressive de ce beau domaine, et les quelques années de bonnes récoltes et de belles vendanges qui avaient fait de lui un propriétaire aisé, riche même. Mais Casanova, tout entier à ses propres pensées, se contentait d'attraper de temps à autre au vol un mot d'Olivo pour prouver par quelque remarque polie qu'il était attentif. Cependant quand Olivo, dans son bavardage, se mit à parler de sa famille et enfin de Marcolina, Casanova prêta l'oreille. Mais il n'apprit pas grand-chose de plus que ce qu'il savait déjà.

Tout enfant, dans la maison de son père, un demi-frère d'Olivo, docteur à Bologne et resté veuf de bonne heure, elle étonnait déjà son entourage par la précocité de son intelligence, on avait donc eu bien le temps de s'habituer à ses façons d'être. Son père était mort quelques années plus tôt, et depuis lors elle vivait dans la famille d'un célèbre professeur de l'école supérieure de Bologne, ce Morgagni qui prétendait faire de son élève une grande savante ; elle passait les mois d'été chez son oncle. Elle avait refusé quantité de demandes en mariage : un marchand de Bologne, un propriétaire du voisinage et, dernièrement, le lieutenant Lorenzi. Elle semblait vraiment résolue à se consacrer entièrement au service de la science. Pendant ces propos, Casanova sentait croître son désir de façon démesurée, et l'idée que c'était aussi fou que sans aucune chance de succès le désespérait. Comme ils quittaient les prairies pour reprendre la route, des appels et des saluts leur arrivèrent sortant d'un nuage de poussière qui approchait. Ils distinguèrent bientôt une voiture, où un monsieur âgé, fort bien mis, avait à côté de lui une dame plus jeune, très fardée et assez grosse.

— C'est le marquis, murmura Olivo à son compagnon ; il vient me voir.

La voiture s'arrêta.

— Bonsoir, mon brave Olivo, cria le marquis ; puis-je vous prier de me présenter au Chevalier de Seingalt ? Car c'est lui, je n'en doute pas, que j'ai le plaisir de voir devant moi.

Casanova s'inclina légèrement :

— C'est bien moi, dit-il.

— Et moi je suis le marquis Celsi, et voici ma femme. La dame tendit le bout de ses doigts à Casanova qui les effleura de ses lèvres.

— Eh bien, mon excellent Olivo, dit le marquis, auquel son visage maigre et jaune comme de la cire, ses gros sourcils roux qui se rejoignaient au-dessus d'une paire d'yeux perçants et verdâtres ne donnaient pas une physionomie très attirante, mon excellent Olivo, nous allons du même côté, chez vous. Et comme il ne faut guère plus d'un quart d'heure d'ici, je vais achever la route à pied avec vous. Cela ne t'ennuiera pas de faire ce bout de chemin seule ? continua-t-il en se tournant vers la marquise, qui n'avait cessé de considérer Casanova d'un œil scrutateur et sensuel. Et sans attendre sa réponse, il fit un signe au cocher qui, aussitôt, fouetta ses chevaux, comme s'il avait quelque motif d'emmener sa maîtresse au plus vite, et bientôt la voiture disparaissait derrière un nuage de poussière.

— C'est que le bruit de l'arrivée du Chevalier de Seingalt s'est déjà répandu dans notre contrée, dit le marquis, qui avait quelques pouces de plus encore que Casanova et qui était d'une maigreur fantastique, et l'on sait qu'il est descendu chez son ami Olivo. Ce doit être bien exaltant de porter un nom aussi célèbre.

— Vous êtes bien bon, Monsieur le marquis, répliqua Casanova ; je n'ai pas encore renoncé à l'espoir d'acquérir un nom de ce genre, mais j'en suis encore bien loin. Un travail dont je m'occupe en ce moment me rapprochera, je l'espère, de ce but.

— Nous pouvons abréger notre route par ici,

59

dit Olivo, en prenant un sentier qui conduisait droit au mur de son jardin.

— Un travail ? répéta le marquis sur un ton indéfinissable. Peut-on vous demander, Chevalier, de quel genre de travail vous parlez ?

— Puisque vous me posez cette question, Marquis, je suis obligé de vous en faire une à mon tour : de quel genre de célébrité parliez-vous tout à l'heure ?

Et son regard hautain se posait sur les yeux perçants du marquis. Certes, il savait fort bien que ni son roman fantastique *Icosameron* ni sa *Réfutation de l'histoire du Gouvernement Vénitien,* en trois volumes, ne lui avaient valu une notoriété littéraire de quelque importance, et c'était la seule qui lui parut mériter des efforts. Aussi était-ce avec intention qu'il feignait de ne pas comprendre les remarques et allusions que le marquis lui lançait en tâtant prudemment le terrain. Celui-ci, en effet pouvait bien voir en Casanova le fameux séducteur, le joueur, l'homme d'affaires, l'émissaire politique, et tous les personnages imaginables, mais absolument pas un écrivain, d'autant qu'il n'avait même jamais entendu parler de la *Réfutation* de l'ouvrage d'Amelot ni de l'*Icosameron*. Il finit donc par dire avec une politesse où se devinait un certain embarras :

— En tout cas il n'y a qu'un Casanova.

— Ceci est encore une erreur, Marquis, riposta froidement ce dernier. J'ai frères et sœurs, et un connaisseur pourrait ne pas ignorer le nom de l'un de mes frères, le peintre Francesco Casanova.

Il parut que dans ce domaine-là non plus le marquis n'était pas parmi les connaisseurs, car il détourna la conversation sur les relations qu'il avait à Naples, à Rome, à Milan et à Mantoue et dont il pouvait supposer que Casanova avait rencontré quelques-unes. Il nomma entre autres le baron Peretti, mais sur un ton quelque peu dédaigneux, et Casanova reconnut qu'il faisait de temps à autre une petite partie chez le baron, « histoire de passer un moment, ajouta-t-il, une demi-heure, avant d'aller dormir. Au reste j'ai presque renoncé à ce genre de distraction ».

— Je le regretterais, dit le marquis, car, je ne vous le cacherai pas, Monsieur le Chevalier, ç'a été un des rêves de ma vie de me mesurer avec vous, aussi bien au jeu que — quand j'étais plus jeune — sur d'autres terrains. Figurez-vous d'ailleurs que jadis — combien peut-il y avoir de temps de cela ? — j'arrivai juste à Spa le jour, et même à l'heure où précisément vous quittiez cette ville : nos voitures se croisèrent. J'ai encore eu la même malchance à Ratisbonne : j'y ai même habité la chambre que vous veniez de laisser libre une heure avant.

— Il est vraiment malheureux, dit Casanova, malgré tout assez flatté, qu'on se rencontre souvent trop tard dans la vie.

— Il n'est pas trop tard, s'écria vivement le marquis ; sur maint autre point je m'avoue volontiers vaincu d'avance par vous, et ne m'en soucie guère, mais pour ce qui est du jeu, peut-être sommes-nous l'un et l'autre justement à l'âge...

Casanova l'interrompit.

— A l'âge... cela se peut. Malheureusement c'est justement sur le terrain du jeu que je ne peux plus prétendre au plaisir de me mesurer contre un adversaire de votre valeur car... — et son ton fut celui d'un prince détrôné — car, avec toute ma réputation, mon cher marquis, je ne suis plus guère aujourd'hui qu'un mendiant.

Malgré lui le marquis baissa les yeux devant le regard plein de fierté de Casanova, mais il hocha la tête d'un air incrédule, comme à une merveilleuse plaisanterie. Par contre Olivo, qui avait écouté ces propos avec passion et accompagné d'un signe de tête approbatif chaque réplique, si finement supérieure, de son prodigieux ami, put à peine à cette dernière réprimer un geste d'effroi. Ils étaient à ce moment contre le mur du jardin, devant une étroite porte en bois ; tout en l'ouvrant avec une clef grinçante et en faisant passer le marquis devant, Olivo saisit le bras de Casanova et lui chuchota à l'oreille : — Vous retirerez votre dernier mot, Chevalier, avant de remettre le pied chez moi : l'argent que je vous dois depuis seize ans est tout prêt. Seulement je n'osais pas... demandez plutôt à Amélie : il est là, tout compté. Je pensais me permettre... à votre départ, de...

Casanova l'interrompit doucement :

— Vous ne me devez rien, Olivo. Ces quelques pièces d'or étaient — vous le savez bien — un cadeau de noces, que, comme ami de la mère d'Amélie... Mais à quoi bon parler de ça ? Que ferais-je de ces quelques ducats ? Je suis à un tournant de ma vie, ajouta-t-il, en élevant la voix à dessein, afin que le marquis, arrêté à quelques pas d'eux, pût l'entendre. Olivo échangea un regard avec Casanova pour s'assurer de son consentement, puis il dit au marquis :

— C'est que le Chevalier est rappelé à Venise et part dans quelques jours pour sa patrie.

— Ou plutôt, précisa Casanova, tandis qu'ils se rapprochaient de la maison, voilà déjà beau temps qu'on m'engage à y revenir, et cela de façon de plus en plus pressante. Mais Messieurs les Sénateurs ont, il me semble, pris tout leur temps, à eux maintenant de prendre patience.

— Fierté parfaitement justifiée de votre part, Chevalier, dit le Marquis.

Quand ils débouchèrent de l'allée dans la prairie, maintenant complètement dans l'ombre, ils y virent toute la compagnie rassemblée pour les attendre. Tous se levèrent pour venir à leur rencontre, en tête l'abbé, entre Marcolina et Amélie, suivi de la marquise qu'escortait un grand officier, au visage tout rasé, en uniforme rouge galonné d'argent, avec des bottes éblouissantes, et qui ne pouvait être que Lorenzi. Tout en causant avec la marquise il caressait du regard ses blanches épaules, échantillon bien connu d'autres beautés non moins connues ; et la façon dont la marquise, sous ses paupières mi-closes, levait les yeux sur lui en souriant ne pouvait laisser aucun doute, même aux moins instruits de la chose, sur la nature de leurs relations : ils ne cherchaient d'ailleurs nullement à les cacher à personne. Ils n'interrompirent leur entretien à mi-voix, mais pas moins animé pour cela, que quand ils furent en face des nouveaux arrivants.

Olivo présenta Lorenzi à Casanova. Les deux hommes se mesurèrent d'un regard bref et froid par lequel ils semblèrent se déclarer mutuellement leur antipathie, puis ils s'inclinèrent en échangeant un vague sourire, sans se tendre la main, car pour cela chacun d'eux aurait dû faire un pas vers l'autre. Lorenzi était beau, avec un visage mince, aux traits remarquablement marqués, étant donnée sa jeunesse : au fond de ses yeux brûlait une flamme indéfinissable qui devait engager tout homme expérimenté à se tenir sur ses gardes. Une seconde seulement Casanova se demanda qui lui rappelait Lorenzi : soudain il sut que c'était sa propre image, que c'était lui-même, avec trente ans de moins, qu'il avait devant lui. Serais-je réincarné sous cette forme, se demanda-t-il ? Il faudrait que je fusse mort d'abord... et il frémit intérieurement : ne le suis-je pas depuis longtemps ? Que reste-t-il du Casanova qui était jeune, beau et heureux ?

Il entendit la voix d'Amélie qui lui parut venir de loin, et elle était pourtant à côté de lui. Elle lui demandait s'il avait pris plaisir à sa

65

promenade. Là-dessus, très haut, pour que tout le monde pût l'entendre, il vanta le domaine si fertile et si bien entretenu qu'il venait de parcourir. Cependant la servante dressait au milieu de la prairie une longue table ; les deux filles aînées d'Olivo l'aidaient, apportant, avec force rires et agitation, verres, vaisselle et objets de toute sorte. Le crépuscule tombait peu à peu, et un léger vent rafraîchissait le jardin. Marcolina s'empressait autour de la table pour achever ce que la servante avait commencé avec les enfants et pour rectifier leurs erreurs. Les autres flânaient sans but dans les allées et dans la prairie. La marquise se montrait fort gracieuse avec Casanova, et exprima même le désir de lui entendre raconter l'histoire de sa fameuse évasion des Plombs de Venise ; elle n'ignorait pourtant pas, ajouta-t-elle avec un sourire plein de sous-entendus, qu'il avait connu maintes aventures bien plus dangereuses, mais qui pourraient être plus délicates à raconter :

— Si j'ai eu dans ma vie, répondit Casanova, nombre de péripéties, tant sérieuses que plaisantes, je n'ai pourtant jamais couru ce qu'on peut appeler de véritables dangers : sans doute j'ai bien été soldat quelques mois, dans une époque troublée — c'était il y a bien des années

66

— car il n'y a guère de métier que le destin ne m'ait obligé à faire. Mais je n'ai jamais eu le bonheur de prendre part à une véritable campagne, comme celle qui se prépare pour le lieutenant Lorenzi, et pour laquelle je serais tenté de l'envier.

— Alors, vous en savez plus que moi, Monsieur Casanova, dit Lorenzi de sa voix claire et impertinente, et plus même que mon colonel, car je viens de recevoir avis que ma permission est prolongée pour une durée illimitée.

— Vraiment ! s'écria le marquis sans pouvoir dominer son irritation. Figurez-vous Lorenzi, ajouta-t-il d'un ton sarcastique, que nous... ou plutôt que ma femme se croyait si sûre de votre départ qu'elle a invité un de nos amis, le chanteur Baldi, à venir au château dès le début de la semaine prochaine.

— A merveille ! riposta Lorenzi sans se troubler, Baldi et moi sommes fort bons amis, nous nous entendrons parfaitement. N'est-ce pas ? conclut-il en s'adressant à la marquise, et en laissant voir des dents éblouissantes.

— Je vous le conseillerais à tous deux, fit celle-ci avec un sourire enjoué.

Sur ces mots elle se mit à table, entre Olivo et Lorenzi ; en face d'eux était Amélie entre le Marquis et Casanova ; près de ce dernier, au bout de la table, Marcolina ; à l'autre extrémité, près d'Olivo, l'abbé. Ce fut, comme à midi, un repas simple mais excellent. Teresina et Nanetta, les deux filles aînées de la maison, apportaient les plats et versaient le vin délicieux qui mûrissait sur la colline d'Olivo ; le marquis, aussi bien que l'abbé, remerciait les fillettes par des caresses plaisantes mais un peu libres, qu'un père plus sévère qu'Olivo n'eût peut-être pas permises. Amélie ne semblait rien voir ; pâle, le regard trouble, elle avait l'air d'une femme résolue à vieillir parce que la jeunesse a perdu pour elle toute signification. « Est-ce donc là désormais tout mon pouvoir », songeait Casanova avec amertume, en lui jetant un regard de côté. Mais peut-être était-ce l'éclairage qui altérait les traits d'Amélie et lui donnait cet air sombre ? Car un large rayon de lumière venant de la maison tombait sur les convives seuls, pour le reste on se contentait de la lueur du crépuscule. La cime des arbres barrait la vue de leurs lignes noires et dures, et Casanova se souvint d'un certain jardin mystérieux où il avait, voilà bien des années, une nuit, attendu sa maîtresse. « Murano ! » se murmura-t-il à lui-même et il frissonna. Puis il dit tout haut :

— Il y a un jardin, dans une île près de Venise, un jardin de couvent, où j'ai pénétré pour la dernière fois il y a des dizaines d'années — la nuit il y avait les mêmes parfums que ceux-ci.

— Vous avez donc été aussi moine? dit la marquise en plaisantant.

— Presque, répondit Casanova en souriant, et il raconta, ce qui était vrai, que, quand il avait quinze ans, le patriarche de Venise lui avait imposé les ordres mineurs, mais qu'il avait préféré, tout jeune qu'il était, jeter le froc aux orties. L'abbé parla alors d'un couvent de femmes tout voisin et engagea vivement Casanova à le visiter, s'il ne le connaissait pas encore. Olivo appuya vivement la proposition : il vanta le sombre et vieil édifice, le charme du site et le pittoresque varié de la route qui y conduisait.

— D'ailleurs, continua l'abbé, l'abbesse du couvent, sœur Séraphine, une femme très instruite et duchesse de naissance, m'a exprimé le désir, dans une lettre — car dans ce couvent on fait vœu de silence perpétuel — de connaître cette Marcolina dont on lui a vanté l'érudition.

— J'espère, Marcolina, dit Lorenzi (c'était la première fois qu'il lui adressait directement la parole) que vous ne vous laisserez pas entraîner à imiter en tout point cette duchesse devenue abbesse ?

— Et pourquoi le ferai-je ? répliqua-t-elle gaiement. On peut garder sa liberté sans prononcer de vœux : les vœux sont une contrainte.

Casanova était assis à côté d'elle. Pas une fois il n'osa lui toucher légèrement le pied ou appuyer son genou contre le sien : voir une troisième fois dans son regard cette expression d'aversion, de dégoût, cela l'eût inévitablement poussé — il en était sûr — à quelque acte de folie. Tandis que le repas avançait et que le nombre croissant de verres déjà vides rendait la conversation plus vive et plus générale, Casanova entendit soudain, comme dans le lointain, la voix d'Amélie :

— J'ai parlé à Marcolina.

— Tu lui as... une folle espérance brûlait déjà en lui.

— Du calme, Casanova. Il n'a pas été question de toi, mais d'elle et de ses projets d'avenir. Et je te le dis encore une fois : jamais elle n'appartiendra à un homme.

Olivo, qui avait un peu trop fêté les bouteilles, se leva tout à coup, et, le verre à la main, prononça gauchement quelques mots pour dire quel grand honneur faisait à son humble maison la visite de son cher ami, le Chevalier de Seingalt.

— Et où est-il donc, mon cher Olivo, ce

Chevalier de Seingalt dont vous parlez ? demanda Lorenzi, de sa même voix haute et narquoise. Le premier mouvement de Casanova eût été de lancer son verre à la tête de l'insolent, mais Amélie dit, en lui mettant doucement la main sur le bras :

— Bien des gens, Monsieur le Chevalier, ne vous connaissent encore que sous votre nom, plus ancien et plus fameux, de Casanova.

— Je ne savais pas, reprit Lorenzi avec un sérieux qui soulignait l'intention offensante, que le roi de France eût anobli Monsieur Casanova.

— J'ai pu épargner cette peine au roi, répliqua Casanova avec calme, et j'espère, lieutenant Lorenzi, que vous vous contenterez d'une explication à laquelle le bourgmestre de Nuremberg n'a rien eu à objecter quand j'eus l'honneur de la lui donner dans une circonstance d'ailleurs sans importance. — Et comme tous se taisaient, haletants. — L'alphabet appartient, on le sait, à tout le monde. J'y ai choisi, à ma guise, un certain nombre de lettres, et je me suis anobli, sans rien devoir à un Prince qui n'aurait guère été en situation d'apprécier mes prétentions. Je suis Casanova, Chevalier de Seingalt. Je serais fâché pour vous, lieutenant

Lorenzi, que mon nom n'obtînt pas votre approbation.

— Seingalt est un nom délicieux, dit l'abbé, qui le répéta deux ou trois fois comme s'il le savourait sur ses lèvres.

— Et il n'y a personne au monde, cria Olivo, qui ait plus de droit de s'appeler Chevalier que mon noble ami Casanova.

Et le marquis à son tour :

— Dès que votre gloire, Lorenzi, sera aussi retentissante que celle de Monsieur Casanova, Chevalier de Seingalt, nous n'hésiterons pas à vous décerner aussi, si cela vous fait plaisir, le titre de Chevalier.

Casanova, agacé de ces appuis qui lui venaient de tous côtés sans qu'il les eût souhaités, était sur le point de les refuser et de régler ses affaires tout seul, quand, sortant de l'obscurité du jardin, deux vieillards, assez convenablement mis, s'approchèrent de la table. Olivo les salua avec une cordialité bruyante, heureux d'émousser ainsi la pointe d'un différend qui menaçait de s'aggraver et de troubler la fête. Les nouveaux arrivants étaient les frères Ricardi, deux célibataires qui, à ce que Casanova apprit d'Olivo, avaient jadis vécu dans le grand monde, mais qui, ruinés par une série

d'entreprises malheureuses, s'étaient enfin reti-
rés dans le village voisin, leur pays d'origine, où
ils avaient loué une misérable bicoque. Gens
singuliers mais inoffensifs, les deux Ricardi se
déclarèrent enchantés de renouer connaissance
avec le Chevalier qu'ils avaient rencontré à
Paris, bien des années auparavant. Casanova ne
s'en souvenait pas... Ou bien était-ce à
Madrid?... « C'est possible », dit Casanova,
qui savait bien qu'il ne les avait jamais vus. Un
seul des deux frères, le plus jeune à en juger par
son apparence, prenait la parole; l'autre, qui
paraissait quatre-vingt-dix ans, approuvait sans
trêve les propos de son cadet par des signes de
tête et un vague sourire.

On s'était levé de table. Les enfants s'étaient
déjà éclipsées depuis un moment. Lorenzi et la
marquise se promenaient à l'ombre sur la
prairie, et bientôt on aperçut dans la salle
Marcolina et Amélie qui semblaient tout préparer pour le jeu. « Qu'est-ce que tout cela
signifie? se demandait Casanova resté seul dans
le jardin. Me croient-ils riche? Ont-ils l'intention de me plumer? » Car tous ces préparatifs,
les prévenances du marquis, l'empressement de
l'abbé, l'apparition des frères Ricardi, tout lui
semblait légèrement suspect. Lorenzi ne serait-

il pas lui aussi mêlé à ce petit complot ? Ou Marcolina ? Ou même Amélie ? Une pensée lui traversa l'esprit : « Et si tout cela n'était qu'un tour de mes ennemis, pour me rendre plus difficile mon retour à Venise, pour le rendre au dernier moment impossible ? » Mais il dut aussitôt reconnaître que cette hypothèse était absurde, avant tout pour la bonne raison qu'il n'avait même plus d'ennemis. Il n'était plus qu'un pauvre diable, déchu, vieilli, qui n'avait rien de redoutable : qui pourrait s'inquiéter de son retour à Venise ? Et quand, par la fenêtre ouverte, il vit ces messieurs s'installer d'un air affairé autour de la table, sur laquelle étaient déjà rangés les cartes et des verres de vin, il lui parut évident que l'on n'avait d'autre projet que de faire une petite partie habituelle, et qu'un nouveau partenaire y serait le bienvenu. Marcolina, en passant, lui souhaita bonne chance.

— Vous ne restez pas ? Vous ne nous regardez pas au moins jouer ?

— Que ferais-je là ? Bonne nuit, Chevalier de Seingalt, et à demain.

Des voix retentissaient. — Lorenzi ! criait-on. — Monsieur le Chevalier ! nous vous attendons. Casanova, caché dans l'ombre de la maison, pouvait voir la marquise chercher à attirer Lorenzi sous les arbres, où l'obscurité

74

était plus profonde. Là, elle se serra ardemment contre lui, mais Lorenzi se dégageant un peu rudement revint en hâte vers la maison. Il rencontra sur le seuil Casanova, auquel il céda le pas avec une politesse ironique : Casanova passa le premier sans le remercier.

Le marquis tailla la première banque. Olivo, les Ricardi et l'abbé risquaient des enjeux si minimes que cela faisait à Casanova l'effet d'une plaisanterie, bien que tout son avoir consistât actuellement en quelques ducats. Cela lui paraissait d'autant plus risible que le marquis empochait ou payait avec un air aussi important que s'il se fût agi de sommes considérables. Soudain Lorenzi, qui jusque-là n'avait pas participé au jeu, jeta un ducat sur la table, gagna, laissa l'enjeu ainsi doublé, gagna une seconde, une troisième fois, et ainsi de suite à de rares exceptions près. Les autres continuaient comme avant à ne risquer que de menues pièces, et les deux Ricardi surtout se montraient fort vexés de voir que le marquis ne les traitait pas avec les mêmes égards que le lieutenant. Les deux frères jouaient ensemble sur la même carte ; l'aîné, qui la tenait, avait des gouttes de sueur qui perlaient sur son front, l'autre, debout derrière lui, ne cessait de lui donner des conseils soidisant infaillibles. Quand il voyait gagner son frère, toujours muet, ses yeux brillaient, dans le cas contraire il les levait au ciel, d'un air de détresse. L'abbé, par ailleurs assez indifférent, proférait de temps à autre quelques aphorismes comme : « On ne force ni la chance ni les femmes », ou bien « La terre est ronde, le ciel est vaste », souvent aussi il lançait à Casanova et à Amélie, assise en face de lui à côté de son mari, des regards encourageants et malins, comme s'il tenait absolument à rapprocher encore une fois les deux anciens amants. Mais Casanova ne songeait qu'à une chose : Marcolina était dans sa chambre, en train de se dévêtir lentement, et, si la fenêtre était toujours ouverte, son corps blanc luisait dans la nuit. Saisi d'un désir qui le bouleversait, il voulut se lever de la chaise qu'il occupait près du marquis et quitter la pièce, mais celui-ci, croyant voir dans ce mouvement la résolution de Casanova de se mettre au jeu, s'écria : « Enfin, nous savions bien, Chevalier, que vous ne resteriez pas simple spectateur », et il posa une carte devant lui. Casanova misa tout ce qu'il avait sur lui — c'était à peu près tout ce qu'il possédait — dix ducats environ. Sans les compter il les fit glisser de sa bourse sur le tapis, souhaitant de les perdre d'un coup : ce serait un signe de bon

augure — pourquoi ? il ne le savait pas au juste ;
pour un proche retour à Venise, ou pour la vue
qu'il espérait de Marcolina dévêtue… ? Mais
avant qu'il se fût décidé, le Marquis avait déjà
perdu. Casanova, comme le lieutenant, laissa le
double enjeu, et lui aussi la chance le favorisa.
Le marquis ne s'occupait plus des autres ; le
silencieux Ricardi se leva offensé, l'autre se
tordit les mains, et tous les deux restèrent
debout, comme anéantis, dans un coin de la
pièce. L'abbé et Olivo prenaient les choses plus
tranquillement : le premier suçait des bonbons
en répétant ses aphorismes, l'autre suivait, très
excité, la partie qui se jouait. Finalement le
Marquis perdit cinq cents ducats que Casanova
et Lorenzi se partagèrent. La marquise se leva
et, avant de quitter la salle, fit un clin d'œil au
lieutenant ; Amélie, qui la reconduisait, se
faufilait à côté d'elle comme une humble petite
vieille, tandis que la noble dame balançait ses
hanches d'une façon qui écœurait Casanova.
Comme le marquis avait perdu tout ce qu'il
avait, Casanova prit la banque, et insista, au
grand déplaisir de ce dernier, pour que les
autres se remissent à jouer. Aussitôt les deux
frères se rapprochèrent, très allumés et avides ;
l'abbé, qui en avait assez, hochait la tête, quant
à Olivo il ne se remit au jeu que pour ne pas

refuser à son noble ami. La chance continua à favoriser Lorenzi ; quand il eut gagné quatre cents ducats, il se leva en disant :

— Je serai tout à votre disposition demain pour la revanche, mais pour le moment, je vous demande la permission de rentrer chez moi.

— Chez vous ! s'écria le marquis avec un rire moqueur, — il venait d'ailleurs de regagner quelques ducats — elle est bien bonne ! Le lieutenant habite chez moi, ajouta-t-il en se tournant vers les autres, et ma femme est partie en avant ! Amusez-vous bien, Lorenzi !

— Vous savez très bien, répliqua Lorenzi sans sourciller, que je m'en vais droit à Mantoue et non à votre château, où vous avez eu la bonté de me recevoir hier.

— Allez donc où vous voulez, au diable, si cela vous plaît, je n'y vois aucun inconvénient !

Lorenzi prit congé de tous fort poliment, sans relever comme il convenait la boutade du marquis, à la grande surprise de Casanova, qui se remit à donner des cartes et à gagner, si bien que le marquis lui dut bientôt quelques centaines de ducats. A quoi bon ? s'était demandé Casanova au début. Peu à peu cependant le démon du jeu l'avait repris. « Ça ne va pas mal, se disait-il... cela fera bientôt mille..., on pourrait arriver à deux mille... le marquis paiera

certainement sa dette... faire mon entrée à
Venise avec un petit magot, ce ne serait pas
désagréable. Mais pourquoi à Venise ? Redevenir riche, c'est redevenir jeune, la richesse c'est
tout. Je pourrais en tout cas encore m'acheter...
me payer... qui ? Je n'en veux pas d'autre
qu'elle... Elle est à sa fenêtre, toute nue... C'est
certain... elle attend... elle se doute que je vais
venir... elle se tient à sa fenêtre pour me faire
perdre la tête... et moi je suis ici ».

Cependant il continuait à distribuer des
cartes d'un air impassible non seulement au
marquis mais à Olivo aussi et aux frères
Ricardi, auxquels il glissait de temps à autre une
pièce d'or à laquelle ils n'avaient aucun droit,
mais qu'ils acceptaient. Dans la nuit leur arriva
un bruit de cheval trottant sur la route...
Lorenzi, pensa Casanova... le mur du jardin en
renvoya l'écho, puis tout se tut. Mais voilà que
la chance tourna contre Casanova, tandis que le
marquis misait de plus en plus fort : à minuit
Casanova se retrouvait aussi pauvre qu'avant,
plus même, car il avait perdu ses quelques
pièces d'or. Il repoussa les cartes et se leva en
souriant.

— Messieurs, je vous remercie.

Olivo lui ouvrit les bras.

— Continuons à jouer, mon ami... cent cinquante ducats... vous avez donc oublié ?... non, pas cent cinquante, tout ce que j'ai, tout ce que je suis, tout, tout... Il bafouillait, car il n'avait cessé de boire toute la soirée. Casanova déclina l'offre avec un geste dont il exagéra la noblesse.

— On ne force ni les femmes ni la chance, dit-il en s'inclinant devant l'abbé, qui fit un signe de tête et applaudit, flatté.

— A demain donc, mon cher Chevalier, dit le marquis ; à nous deux nous ferons rendre gorge au lieutenant Lorenzi.

Les deux Ricardi insistèrent pour continuer le jeu, et le marquis, d'excellente humeur, consentit à tailler encore une banque. Ils sortirent les pièces que leur avait fait gagner Casanova. En deux minutes le marquis les leur eut reprises et refusa absolument de poursuivre s'ils n'avaient pas d'argent à montrer. Ils se tordirent les mains et le vieux se mit à pleurer comme un enfant, sur quoi l'autre, pour le calmer, l'embrassa sur les deux joues. Le marquis demanda alors si sa voiture était de retour ; l'abbé dit que oui : il avait entendu le roulement une demi-heure plus tôt. Le marquis invita ce dernier et les Ricardi à y monter avec lui, il les déposerait chez eux en passant, et tous quittèrent la maison.

Les autres partis, Olivo prit le bras de Casanova et lui assura encore une fois, avec des larmes dans la voix, que tout ce qui était dans la maison lui appartenait à lui, Casanova, et qu'il pouvait en disposer à sa guise. Ils passèrent devant la fenêtre de Marcolina. Non seulement elle était fermée, mais un grillage était baissé devant et à l'intérieur un rideau tiré. « Il y a des moments, se dit Casanova, où rien de tout cela ne servirait ou ne compterait. » Ils rentrèrent dans la maison. Olivo tint à accompagner son ami jusqu'à sa chambre et ils montèrent l'escalier qui craquait sous leur poids.

— Eh bien à demain, dit-il, en l'embrassant ; on vous fera visiter ce couvent. Mais dormez tranquillement, nous ne partirons pas de très bonne heure, en tout cas, nous ferons ce qui vous plaira. Bonne nuit.

Et il sortit en fermant doucement la porte derrière lui, mais le bruit de ses pas retentissait dans toute la maison.

Casanova était seul dans sa chambre, faiblement éclairée par deux bougies, et il laissa errer son regard d'une fenêtre à l'autre. Une lueur bleuâtre enveloppait le paysage qui, des quatre côtés, présentait à peu près le même aspect : de vastes plaines coupées de légères ondulations, au nord seulement quelques lignes fuyantes de montagnes, çà et là quelques bâtiments plus importants, un entre autres, sur une hauteur, où brillait une lumière, le château du marquis, supposa Casanova. Dans la chambre, qui, en dehors d'un grand lit, ne contenait qu'une longue table, sur laquelle étaient posés les flambeaux, quelques chaises et une commode surmontée d'une glace à cadre doré, on avait mis de l'ordre et des mains soigneuses avaient défait la valise. Sur la table était posée la serviette de cuir, bien usée, qui contenait ses papiers, et à côté quelques livres indispensables à son travail et dont il ne se séparait pas ; on n'avait pas oublié tout ce qu'il faut pour écrire. N'ayant aucune envie de dormir, il tira son manuscrit de la serviette et se mit à relire les dernières pages. Comme il s'était arrêté à la fin d'un paragraphe, rien ne lui était plus facile que de continuer sur-le-champ. Il prit la plume, rédigea quelques phrases, puis la reposa soudain. A quoi bon ? se demanda-t-il, comme si une lumière intérieure l'illuminait brusquement. Quand bien même je saurais que tous mes ouvrages passés et futurs seront magnifiques et incomparables, quand je réussirais à anéantir Voltaire et à éclipser sa gloire sous l'éclat de la mienne, est-ce que je ne serais pas prêt, avec joie, à brûler tous ces papiers pour qu'il me fût accordé en échange de serrer Marcolina dans mes bras? Est-ce que je ne m'engagerais pas, au même prix, à ne plus jamais rentrer à Venise, dût-on m'y préparer un accueil triomphal? Venise!... Il répéta ce nom, qui sonnait à ses oreilles avec tout son éclat et qui déjà reprenait sur lui son ancien empire. La ville de sa jeunesse se dressait devant lui, enveloppée de tout le charme du souvenir, et son cœur se gonflait d'un désir si ardent, si douloureux, qu'il croyait ne l'avoir jamais éprouvé avec tant d'intensité. Renoncer à ce retour lui semblait le sacrifice le plus impossible que le destin put exiger de lui. Que ferait-il désormais dans ce monde pitoyable et affadi, sans l'espoir, sans la certitude de revoir un jour sa ville bien-aimée? Après des années et des années de voyages et d'aventures, après tous les bonheurs et tous les malheurs qu'il avait connus, après les honneurs et les ignominies, après les triomphes et les humiliations, il lui fallait pourtant bien un lieu de repos, une patrie. Y en avait-il pour lui une autre que Venise?

Depuis longtemps déjà à l'étranger il ne pouvait plus s'assurer un bonheur de quelque durée. Si parfois encore il trouvait la force d'en saisir un, il n'avait plus celle de le conserver. Son ascendant sur les êtres, hommes ou femmes, avait disparu. Là où il représentait un souvenir seulement, sa parole, sa voix, son regard, pouvaient encore fasciner : son présent n'exerçait plus aucune action. Il avait fait son temps. Pour la première fois il s'avouait, ce qu'il s'était appliqué avec tant de soin à se dissimuler, que même ses travaux littéraires, même son pamphlet contre Voltaire, en qui il avait mis sa suprême espérance, n'obtiendraient jamais un succès décisif, mondial. Pour cela aussi il était trop tard. Ah, si dans sa jeunesse il avait eu le loisir et la patience de s'adonner sérieusement à des travaux de ce genre, alors, il en était sûr, il aurait égalé les maîtres, les poètes et les philosophes, et de même comme financier, comme diplomate, il aurait, avec plus de prudence et de persévérance, atteint les sommets. Mais où était sa patience, où était sa prudence, où étaient tous ses beaux projets, dès que l'attirait une nouvelle aventure d'amour ? Des femmes partout, et toujours des femmes. Pour elles, à tout moment, il avait tout abandonné, pour de nobles femmes et pour de viles créatures, pour les passionnées et pour les indifférentes, pour des vierges et pour des filles... pour une nuit sur une nouvelle couche d'amour il avait toujours sacrifié tous les honneurs de ce monde et toutes les béatitudes de l'autre. Mais regrettait-il ce qu'il avait pu laisser échapper dans son existence par cette éternelle poursuite, par cette impuissance à jamais, ou à toujours trouver, par ce va-et-vient éperdu du désir à la jouissance et de la jouissance au désir? Non, il ne regrettait rien. Il avait vécu sa vie comme personne, et ne la vivait-il pas encore aujourd'hui à sa manière? Partout encore il trouvait des femmes sur son chemin, si elles ne devenaient pas folles de lui comme autrefois. Amélie?... Il pouvait la prendre quand il voulait, sur l'heure, dans le lit de son mari ivre; et l'aubergiste de Mantoue... n'était-elle pas éprise de lui comme elle l'eût été d'un joli garçon, tendrement, jalousement? Et la maîtresse de Perotti, cette femme au visage grêlé mais au corps superbe,... grisée par le nom seul de Casanova, d'où semblaient jaillir sur elle, comme autant d'étincelles, les voluptés de mille nuits d'amour, ne l'avait-elle pas supplié de lui en accorder une seule, et ne l'avait-il pas dédaignée, en homme qui a encore le droit de choisir à son gré? Marcolina... sans doute des femmes comme Marcolina n'étaient plus pour lui. Mais l'aurait-elle jamais été ? Il y avait des femmes de ce genre, il en avait peut-être rencontré dans ses jeunes années, mais comme il en trouvait en même temps une autre plus facile, il ne s'était jamais attardé à soupirer en vain, ne fût-ce qu'un jour. Puisque Lorenzi lui-même n'avait pas réussi à la conquérir, puisqu'elle avait refusé la main de cet homme, aussi beau garçon et aussi effronté qu'il était, lui Casanova, dans sa jeunesse... alors Marcolina était peut-être ce phénomène merveilleux, à l'existence duquel il n'avait jamais cru, la femme vertueuse. Là-dessus, il poussa un éclat de rire qui fit résonner toute la chambre. « Le maladroit, l'imbécile ! cria-t-il tout haut, comme il le faisait souvent dans ses monologues, il n'a pas su profiter de l'occasion, ou bien la marquise ne le lâche pas, ou bien il n'a pris celle-ci que parce qu'il n'a pu avoir Marcolina, la savante, la philosophe ! » Et soudain une idée lui vint : « Je vais lui lire demain mon pamphlet contre Voltaire ! Elle est la seule qui soit vraiment capable de me comprendre. Je la convaincrai et elle m'admirera. Bien entendu, elle m'admirera : « Parfait, Monsieur Casanova, votre style est des plus brillants, cher Monsieur ; parbleu, vous avez écrasé Voltaire, vous êtes un vieillard de génie ! » Et tout en parlant ainsi d'une voix sifflante il courait çà et là dans la chambre, comme dans une cage. Il était soulevé d'une fureur prodigieuse contre Marcolina, contre Voltaire, contre lui-même, contre le monde entier. Il dut se faire violence pour ne pas hurler. Il finit par se jeter sur le lit, tout habillé, et là, étendu, les yeux grands ouverts et fixés au plafond, il voyait, par places, briller à la lueur des bougies des fils d'argent qui étaient des toiles d'araignées. Puis, comme il lui arrivait souvent avant de s'endormir, après des soirées de jeu, il vit défiler des cartes devant lui à une vitesse fantastique, et sombra enfin dans un sommeil sans rêve qui ne dura, il est vrai, pas longtemps.

Réveillé, il prêta l'oreille au mystérieux silence dont il était enveloppé. Au sud et à l'est, les fenêtres de sa tour étaient ouvertes, et du jardin et des champs montaient de vagues et doux parfums, de la campagne s'élevaient ces bruits indistincts qu'apporte le jour naissant. Il se sentit incapable de rester plus longtemps tranquille : un désir impérieux de changer de place le poussa dehors. Le chant des oiseaux l'invitait à sortir, les souffles frais du matin lui caressaient le front. Il ouvrit doucement la

porte et descendit l'escalier avec précaution ;
grâce à son adresse, tant de fois éprouvée, il
réussit à ne pas faire craquer sous ses pas les
marches de bois, puis l'escalier de pierre le
conduisit au rez-de-chaussée et, à travers la
salle à manger, où des verres à demi pleins
couvraient encore la table, il gagna le jardin.
Mais ses pas firent crier le gravier, et il se hâta
de marcher sur la prairie qui, dans la première
lueur de l'aube, s'étendait à perte de vue. Puis il
se glissa dans l'allée, du côté où il pourrait voir
la fenêtre de Marcolina. Elle était toujours
fermée, grillagée, voilée d'un rideau. A cinquante pas à peine de la maison, il s'assit sur un
banc de pierre. Il entendit rouler une voiture
derrière le mur du jardin, puis ce fut de
nouveau le silence. Au fond de la prairie flottait
une légère vapeur grise, comme s'il y avait eu là
un étang à peine visible, aux contours indécis.
Casanova revit encore cette nuit de sa jeunesse
dans le couvent de Murano — ou dans quelque
autre parc — ou était-ce une autre nuit... il ne
savait plus laquelle... peut-être étaient-ce des
centaines de nuits qui dans son souvenir se
fondaient en une seule, comme maintes fois des
centaines de femmes qu'il avait aimées dans sa
mémoire n'en faisaient plus qu'une qui, telle
une énigme, flottait devant ses sens incertains.

Une nuit ne ressemblait-elle pas finalement à une autre ? Et une femme à une autre ? Surtout quand tout était fini. Et ce mot « fini » ne cessait de lui marteler les tempes, comme s'il devait être désormais le battement même de son existence manquée.

Il crut entendre un léger frôlement derrière lui, le long du mur... Ou n'était-ce qu'un écho ? Non, le bruit venait de la maison. La fenêtre de Marcolina s'ouvrit tout à coup, le grillage fut repoussé, le rideau tiré : sur le fond obscur de la chambre se détacha une silhouette : c'était Marcolina qui, en chemise de nuit blanche, fermée jusqu'au cou, s'approchait de l'appui comme pour respirer l'air pur de l'aube. Casanova s'était vivement glissé derrière le banc, et, par-dessus le dossier, à travers les branches d'arbres, il regardait, fasciné, Marcolina dont le regard, en apparence sans pensée et sans but précis, plongeait dans le demi-jour du jardin. Au bout de quelques secondes seulement, son être encore somnolent parut rassembler sa vigueur dans ses yeux qu'elle promena lentement à droite et à gauche. Puis elle se pencha en avant, comme si elle cherchait quelque chose par terre, et aussitôt leva la tête vers une fenêtre de l'étage supérieur. Ensuite elle resta de nouveau un moment immobile, appuyée des deux mains aux côtés de la croisée, comme clouée à une croix invisible. Alors seulement Casanova put lire clairement sur ses traits sommeillants, comme s'ils étaient soudain éclairés par une lumière intérieure. Un sourire se joua sur sa bouche et s'y figea brusquement. Elle laissa retomber ses bras, ses lèvres remuèrent de façon étrange, comme si elle murmurait une prière, son regard scruta encore longuement le jardin, elle fit un bref signe de tête, et au même moment, quelqu'un qui devait jusquelà être accroupi à ses pieds, sauta dehors... Lorenzi. Il vola plus qu'il ne courut à travers le gravier jusqu'à l'allée, la traversa à dix pas de Casanova, qui, couché sous le banc, retenait son haleine, parcourut toujours courant l'étroite bande de gazon qui longeait le mur de ce côté et disparut. Casanova entendit grincer une porte, — celle, sans doute, par laquelle il était rentré la veille avec Olivo et le marquis, — puis tout redevint silencieux. Pendant tout ce temps, Marcolina était restée là, immobile : dès qu'elle sut Lorenzi en sûreté, elle respira profondément, ferma fenêtre et grillage, le rideau retomba comme de lui-même, et tout redevint tel qu'avant... sauf qu'entre-temps, le jour comme s'il n'avait plus de raison pour s'attarder, s'était levé sur la maison et sur le jardin.

Casanova était toujours couché sous le banc, les bras étendus. Un instant après, il s'éloigna en rampant, jusqu'au milieu de l'allée, puis, toujours à quatre pattes, jusqu'à un endroit où on ne pouvait le voir ni de la fenêtre de Marcolina ni d'aucune autre. Alors il se releva, le dos endolori, s'étira et reprit enfin conscience, redevint lui-même, comme si, de chien battu qu'il était tout à l'heure, il se métamorphosait en homme — en homme condamné à recevoir des coups, qui ne seraient pas une souffrance physique mais une profonde humiliation. « Pourquoi, se disait-il, ne suis-je pas allé à la fenêtre pendant qu'elle était encore ouverte ? Pourquoi n'ai-je pas sauté dans la chambre ? Aurait-elle pu résister, — aurait-elle osé — cette hypocrite, cette menteuse, cette fille ? » Et il continuait à l'injurier, comme s'il en avait le droit, comme si elle lui avait promis fidélité et l'avait trompé. Il se jurait de lui demander raison, face à face, de lui lancer en pleine figure, devant Olivo, devant Amélie, devant le Marquis, l'abbé, la servante et les valets, qu'elle n'était qu'une éhontée *petite grue* et rien de plus. Et comme pour s'y entraîner, il se remémorait dans tous les détails ce qu'il venait de voir, il en ajoutait même comme à plaisir, pour la rabaisser encore plus : qu'elle s'était tenue à la fenêtre toute nue, et que, sous les souffles du matin, elle s'était fait caresser par son amant comme une impudique. Quand il eut ainsi un peu apaisé le plus violent de sa rage, il se mit à réfléchir : n'y avait-il pas un meilleur parti à tirer de ce qu'il savait ? Ne tenait-il pas maintenant Marcolina en son pouvoir ? Ne pourrait-il pas obtenir par des menaces les faveurs qu'elle ne lui aurait pas accordées de son plein gré ? Mais ce projet infâme s'évanouit aussitôt, moins parce que Casanova en reconnut la bassesse que parce qu'il en vit l'inutilité dans le cas présent. Que pourraient faire ses menaces à Marcolina, qui n'avait de comptes à rendre à personne, qui, en somme, était assez fine mouche pour le chasser, s'il lui en prenait fantaisie, comme un calomniateur ? Et si même elle était prête, — chose infiniment peu probable, il le sentait — à acheter le secret de sa liaison avec Lorenzi en se donnant à Casanova, est-ce qu'une volupté ainsi *extorquée* ne deviendrait pas une torture innommable pour lui qui, quand il aimait, aspirait cent fois plus à donner du bonheur qu'à

92

en recevoir ? Est-ce que cela ne pourrait pas le pousser à la folie, au suicide ?

Il se trouva soudain devant la porte du jardin : elle était fermée à clef. Ainsi Lorenzi en avait une clef ! Mais alors qui donc — cette idée lui traversa l'esprit — qui donc était parti au grand trot dans la nuit quand Lorenzi avait quitté la table de jeu ? Un valet aposté, probablement. Casanova eut malgré lui un sourire de satisfaction... ils étaient dignes l'un de l'autre, Marcolina et Lorenzi, la philosophe et l'officier : ils avaient une belle carrière devant eux. Quel sera le prochain amant de Marcolina ? se demanda-t-il. Le professeur de Bologne chez qui elle habite ? Imbécile que je suis ! Il y a longtemps qu'il l'a été. Qui encore ? Olivo ? L'abbé ? Pourquoi pas ? Ou bien ce jeune valet qui hier, à notre arrivée, se tenait sur la porte, les yeux écarquillés ? Tous ! Je le sais, moi, mais Lorenzi ne s'en doute pas, c'est l'avantage que j'ai sur lui.

Pourtant dans son for intérieur, il était persuadé que Lorenzi était le premier amant de Marcolina, bien mieux, il soupçonnait que c'était la première nuit qu'elle lui accordait ; cela ne l'empêchait cependant pas, tout en longeant le mur du jardin, de poursuivre dans

sa tête des images malveillantes et lascives. Il se
retrouva bientôt devant la porte de la salle à
manger qu'il avait laissée ouverte et songea
qu'il ne lui restait plus qu'une chose à faire :
remonter dans sa tour sans se faire voir ni
entendre. Il y grimpa donc avec toutes les
précautions possibles et, arrivé dans sa chambre, se laissa tomber sur la chaise devant la
table, où les feuillets de son manuscrit semblaient attendre son retour. Machinalement, il
jeta les yeux sur la dernière phrase qu'il avait
laissée inachevée et il lut : « Voltaire sera
immortel, certes, mais il aura payé cette immortalité de son âme immortelle : l'ironie a
consumé son cœur comme le doute son âme, et
ainsi... » A ce moment, les rayons rougeâtres
du soleil matinal pénétrèrent dans la pièce, si
bien que le feuillet qu'il tenait à la main se mit à
flamboyer ; vaincu, brisé, il le reposa sur les
autres. Brusquement il se sentit les lèvres
sèches et se versa un verre d'eau : elle était
tiède et douceâtre. Dégoûté, il tourna la tête :
du miroir accroché au mur au-dessus de la
commode le regardait un vieux visage blême,
aux cheveux en désordre et qui pendaient sur le
front. Se complaisant à se torturer lui-même, il
laissa tomber les coins de sa bouche, comme s'il
s'agissait de jouer sur la scène un rôle imbécile,

se passa les mains dans les cheveux pour les ébouriffer encore plus, tira la langue à son image, se lança à lui-même, d'une voix enrouée à dessein, une série d'injures niaises, et pour finir, comme un enfant mal élevé, jeta à terre les feuilles de son manuscrit. Puis il se remit à outrager Marcolina, et après l'avoir accablée des noms les plus orduriers, il siffla entre ses dents : « Est-ce que tu te figures que le plaisir dure longtemps ? Tu grossiras et tu deviendras une vieille toute ridée, comme les autres femmes qui auront été jeunes, avec toi — une vieille aux seins flasques, aux cheveux gris et secs, édentée et malodorante... et finalement tu mourras. Et tu pourriras, en proie aux vers. » Pour tirer d'elle une dernière vengeance, il chercha à se la représenter morte. Il la voyait, vêtue de blanc, dans son cercueil ouvert, mais il était incapable d'imaginer en elle aucun signe de décomposition : au contraire, sa beauté vraiment supraterrestre éveilla en lui une frénésie nouvelle. Les yeux clos, il voyait le cercueil se transformer en lit nuptial : Marcolina y était étendue souriante, les yeux étincelants ; et, de ses fines mains blanches, comme par bravade, elle déchirait l'étoffe blanche sur ses seins délicats. Mais quand, les bras tendus, il voulut se jeter sur elle, l'étreindre, la vision s'évanouit... On frappa à la porte : il sursauta dans son demi-sommeil... Olivo était devant lui.

— Comment, déjà au travail ?

— J'ai l'habitude, répondit Casanova, qui s'était aussitôt ressaisi, de consacrer à écrire la première partie de la matinée. Quelle heure peut-il bien être ?

— Huit heures, le déjeuner est servi au jardin : dès qu'il vous plaira, Chevalier, nous partirons pour le couvent. Mais que vois-je, le vent a éparpillé vos feuillets.

Et il se mit en devoir de les ramasser. Casanova le laissa faire : il s'était approché de la fenêtre, et regardait, rangées autour de la table qu'on avait dressée sur la prairie, dans l'ombre, et toutes vêtues de blancs, Amélie, Marcolina et les trois petites filles. Elles lui crièrent bonjour. Il ne voyait que Marcolina, qui lui souriait amicalement en levant sur lui ses yeux clairs : une assiette de raisins précoces sur les genoux, elle les mangeait grain par grain. Mépris, colère, haine, tout fondit dans le cœur de Casanova : il ne savait plus qu'une chose : il l'aimait. Enivré par la vue de la jeune fille, il se retira dans la chambre, où Olivo, toujours à genoux par terre, continuait à ramasser les feuillets épars sous la table et sous la commode ; Casanova le pria de ne pas se donner tant de mal et de le laisser seul afin qu'il pût se préparer pour la promenade.

— Rien ne nous presse, dit Olivo tout en époussetant son pantalon, nous serons facilement de retour pour le déjeuner de midi. D'ailleurs, le marquis nous demande de commencer à jouer de bonne heure dans l'après-midi ; il a besoin, paraît-il, d'être rentré chez lui avant le coucher du soleil.

— Cela m'est bien égal, dit Casanova en train de ranger ses feuilles dans sa serviette, car je ne jouerai certainement pas.

— Vous jouerez, déclara Olivo d'un ton décidé qui n'était guère dans ses habitudes, et il posa sur la table un rouleau de pièces d'or.

« Ma dette, Chevalier ; je la paie un peu plus tard, mais de tout cœur et avec reconnaissance... Casanova eut un geste de refus.

« Il faut accepter, insista Olivo, si vous ne voulez pas m'offenser profondément ; d'ailleurs Amélie a fait cette nuit à votre sujet un rêve qui vous convaincra... Mais elle vous le racontera elle-même... Et il disparut vivement.

Casanova cependant compta les pièces d'or : il y en avait cent cinquante, exactement la somme que quinze ans plus tôt il avait donnée... au fiancé, à la fiancée ou à sa mère ?... il ne le savait plus au juste. « Le plus sage, se disait-il,

97

serait d'empocher l'argent, de prendre congé et de quitter la maison, sans revoir Marcolina si possible. Mais ai-je jamais obéi à la raison ? Ne m'est-il pas entre-temps arrivé des nouvelles de Venise ?... Ma brave hôtesse m'a bien promis de me les faire parvenir sur-le-champ...

La servante avait apporté une grande cruche pleine d'une eau de source glacée, et Casanova se rafraîchit en se lavant tout le corps, puis il mit son meilleur costume, un habit de cérémonie en quelque sorte, qu'il aurait déjà revêtu la veille au soir s'il avait trouvé le temps de se changer ; mais il était bien aise maintenant de paraître devant Marcolina dans une tenue plus élégante que la veille, sous un nouvel aspect, pour ainsi dire.

C'est sous un habit de soie, gris, tout brodé et garni de larges dentelles espagnoles, un gilet jaune et une culotte de soie cerise, avec une allure noble sans trop de fierté, un sourire supérieur mais gracieux sur les lèvres, et dans les yeux le feu d'une jeunesse impérissable, qu'il fit son entrée dans le jardin. Mais à sa grande déception, il n'y trouva d'abord qu'O-livo qui l'invita à s'asseoir à côté de lui et à partager son modeste repas. Casanova se régala de lait, de beurre, d'œufs frais et de pain blanc, après quoi il goûta des pêches et du raisin qui lui parurent les plus délicieux qu'il eût jamais mangés. Les trois petites filles arrivèrent en courant à travers la prairie. Casanova les embrassa, et à la plus grande il fit quelques légères caresses dans le genre de celles qu'elle avait reçues la veille de l'abbé, et les étincelles qu'elles allumèrent dans les yeux de la petite n'étaient pas de celles qu'excite un simple et innocent jeu d'enfant. Olivo était ravi de voir comme le chevalier savait bien prendre ses fillettes.

— Et vous voulez vraiment nous quitter demain ? demanda-t-il d'un air timide et tendre à la fois.

— Ce soir, dit Casanova, mais avec un clignement d'yeux plaisant. Vous savez, mon brave Olivo, les sénateurs de Venise...

— Ne méritent pas vos égards, interrompit Olivo. Faites-les attendre un peu, restez avec nous jusqu'à après-demain... Non, une semaine.

Casanova secoua la tête, tout en prenant par les mains la petite Teresina, prisonnière entre ses genoux. Elle se dégagea doucement, avec un sourire qui n'avait plus rien d'enfantin, au moment où Amélie et Marcolina sortaient de la maison, ayant jeté sur leurs robes claires, la première un châle noir, la seconde un blanc.

Olivo les invita à joindre leurs prières aux siennes.

— C'est impossible, déclara Casanova en exagérant la dureté de sa voix et de son accent, car ni l'une ni l'autre ne trouvaient un mot pour soutenir Olivo.

— Avez-vous bien avancé votre travail cette nuit, Chevalier ? demanda Marcolina, tandis qu'ils gagnaient la porte par l'allée de marronniers. Mon oncle nous a raconté qu'il vous avait trouvé ce matin encore à la besogne.

Casanova songeait déjà à lui faire une réponse mordante et à double entente, pour la confondre sans se trahir lui-même, mais il retint son trait malicieux, estimant que la hâte pourrait être nuisible. Il répondit poliment qu'il n'avait fait que quelques retouches suggérées par leur entretien de la veille. Ils s'installèrent dans l'affreuse voiture, confortable encore que mal rembourrée, Casanova en face de Marcolina, Olivo en face de sa femme, mais le véhicule était si vaste, qu'en dépit des cahots, il ne pouvait y avoir aucun contact involontaire entre les occupants. Casanova pria Amélie de lui raconter son rêve. Elle lui sourit amicalement, presque avec bonté : il n'y avait plus sur son visage la moindre trace de ressentiment ou de colère. Et elle commença :

— Je vous voyais passer, Casanova, dans un magnifique carrosse attelé de six chevaux noirs, devant un bâtiment en pierres claires. Puis la voiture s'arrêta, sans que je susse encore qui était dedans : alors vous êtes descendu, vêtu d'un merveilleux habit de gala, blanc brodé d'or, presque plus beau encore que celui que vous avez aujourd'hui (elle mettait dans son ton une nuance de moquerie amicale) et vous portiez, oui vraiment vous aviez cette même fine chaîne d'or que je vous vois ce matin pour la première fois. (Cette chaîne, avec une montre en or et une tabatière également en or et ornée de pierres précieuses, avec laquelle jouait précisément Casanova, c'étaient les derniers bijoux de quelque valeur qu'il eût réussi à garder.) Un vieux mendiant ouvrit la portière... c'était Lorenzi ; vous, au contraire, Casanova, vous étiez jeune, tout jeune, encore plus que dans le temps... (Elle dit « dans le temps » sans se troubler de ce que ce simple mot ramenait autour d'elle tout un vol de souvenirs). Vous saluiez de tous côtés, et pourtant on ne voyait personne, et vous franchissiez la porte. Elle se referma violemment derrière vous, — était-ce le vent ou Lorenzi qui l'avait poussée, je n'en savais rien — si violemment que les chevaux, effrayés, s'emballèrent. Alors j'entendis des cris qui venaient des rues voisines, comme si des gens cherchaient à se sauver — puis tout redevint silencieux. Cependant vous apparaissiez à une fenêtre de la maison, qui était, je le savais, alors une maison de jeu, et vous adressiez des saluts de tous les côtés, bien qu'il n'y eût personne là. Puis vous regardiez par-dessus votre épaule, comme s'il y eut eu quelqu'un dans la pièce derrière vous, mais je savais que là non plus il n'y avait personne. Soudain, je vous aperçus à une autre fenêtre, à l'étage au-dessus où vous faisiez exactement la même chose, puis plus haut encore, toujours plus haut, comme si l'édifice s'élevait indéfiniment : et de partout vous adressiez des saluts, et vous parliez avec des gens qui étaient derrière vous, mais en réalité il n'y avait personne. Quant à Lorenzi, il gravissait sans cesse les escaliers à votre poursuite, sans vous atteindre : c'est que vous n'aviez pas pensé à lui faire l'aumône ».

— Et après ? demanda Casanova, quand Amélie se tut.

— Il y eut encore toutes sortes de choses, mais je les ai oubliées, dit-elle.

Casanova était déçu : à sa place il aurait essayé, comme il faisait toujours en pareil cas, qu'il s'agît de rêves ou de réalités, de donner

102

une conclusion un sens à l'histoire. Il remarqua avec un peu d'agacement :

— Comme le rêve intervertit les rôles : moi, jeune et riche, et Lorenzi vieux mendiant.

— La fortune de Lorenzi, dit Olivo, ne va pas bien loin : son père est assez à son aise, il est vrai, mais il n'est pas en très bons termes avec son fils.

Et sans avoir à poser de questions, Casanova apprit qu'on devait la connaissance de Lorenzi au marquis : un beau jour, il y avait de cela quelques semaines, il l'avait tout simplement amené chez Olivo. Quels étaient les rapports du jeune officier avec la marquise, ce n'était pas avec un *connaisseur* comme le chevalier qu'il était nécessaire de mettre les points sur les i : d'ailleurs, puisque le mari n'y trouvait rien à redire, ce n'était pas à un étranger à s'en inquiéter.

— Le marquis est-il aussi consentant que vous paraissez le croire, Olivo? J'en doute. N'avez-vous pas remarqué avec quel mélange de mépris et de fureur il traite le jeune homme? Je ne jurerais pas que cette histoire finira bien.

Même à ces mots le visage, l'attitude de Marcolina ne laissèrent rien paraître de ses sentiments. Parfaitement indifférente en apparence à tout ce qui se disait de Lorenzi, elle semblait toujours sous le charme du paysage. A travers un bois d'oliviers et de chênes verts on gravissait un chemin en pente douce qui zigzaguait sans cesse ; comme, à un tournant, les chevaux ralentissaient encore leur trot, Casanova préféra descendre pour marcher à côté de la voiture. Marcolina parlait des ravissants environs de Bologne et des promenades qu'elle aimait à y faire à la tombée du jour, avec la fille du professeur Morgagni. Elle annonçait aussi son intention d'aller l'année suivante en France, pour faire la connaissance de l'illustre mathématicien Saugrenue, de l'Université de Paris, avec lequel elle était déjà en correspondance.

— Peut-être m'accorderai-je le plaisir, dit-elle avec un sourire, de passer par Ferney pour y apprendre, de la bouche même de Voltaire, l'accueil qu'il aura fait aux attaques de son redoutable contradicteur, le Chevalier de Seingalt.

La main sur la portière de la voiture, tout près du bras de Marcolina, dont la manche lui effleurait les doigts, Casanova répondit froidement :

— Il ne s'agit pas tant de l'accueil que fera Monsieur de Voltaire à mon ouvrage que celui que lui réservera la postérité, car elle seule aura le droit de porter un jugement définitif.

— Vous croyez donc, répliqua Marcolina avec un grand sérieux, que les problèmes dont nous parlons pourront un jour avoir une solution définitive ?

— Voilà une question qui m'étonne dans votre bouche, Marcolina, car vos opinions philosophiques, ou, si j'ose ici risquer ce mot, religieuses, — qui ne sont, à mon sens, nullement indiscutables, — me paraissaient bien enracinées dans votre âme — si vous admettez l'existence de l'âme.

Marcolina, sans faire attention aux pointes que contenaient ces paroles, contemplait tranquillement le ciel qui s'étendait, bleu sombre, au-dessus de la cime des arbres et répondit :

— Bien souvent, et surtout par des jours comme celui-ci — et dans ce mot Casanova l'initié, et lui seul, entendit vibrer comme le tressaillement profond d'un cœur qui s'éveille — bien souvent, il me semble que ce qu'on appelle religion et philosophie n'est qu'un cliquetis de mots, plus nobles sans doute, mais aussi dénués de sens que tous les autres. Il nous sera toujours refusé de comprendre l'infini et l'éternité, notre route nous mène de la naissance à la mort, que nous reste-t-il donc à faire sinon de vivre suivant la loi qui est gravée en chacun de nous... où contre cette loi? Car la révolte vient également de Dieu, comme la soumission.

Olivo levait les yeux sur sa nièce avec une admiration craintive, puis les tournait anxieusement sur Casanova qui, lui, cherchait une riposte pour prouver à Marcolina qu'elle affirmait et niait Dieu pour ainsi dire dans le même moment — ou que pour elle Dieu et le diable ne faisaient qu'un — mais il n'avait à opposer au sentiment de la jeune fille, il le sentait, que des paroles creuses, et il n'en trouvait même pas. Pourtant l'expression étrange qui lui décomposait la figure réveilla sans doute chez Amélie le souvenir de ses menaces de la veille, et elle se hâta de déclarer.

— Et pourtant Marcolina est pieuse, vous pouvez m'en croire, Chevalier.

Marcolina souriait, absente.

— Nous le sommes tous à notre manière, dit Casanova par politesse, en regardant devant lui.

Brusquement, à un détour du chemin, le monastère se dressa devant eux. Par-dessus le haut mur d'enceinte s'élevaient les cimes effilées des cyprès. Au roulement de la voiture la porte s'était ouverte et un portier, à la longue barbe blanche, salua respectueusement les visiteurs et les fit entrer.

A travers les arcades d'un cloître, d'où la vue entre les colonnes s'étendait sur les verdures sombres d'un jardin en pleine croissance, ils se dirigèrent vers le couvent proprement dit : ses murs gris, sans aucun ornement, qui faisaient songer à une prison, avaient un aspect froid et peu hospitalier. Olivo tira le cordon de la cloche : un son strident déchira l'air et s'évanouit aussitôt. Une nonne, strictement voilée vint leur ouvrir et, sans un mot, conduisit les visiteurs dans un vaste parloir nu que meublaient seulement quelques chaises de bois. A l'une des extrémités, la pièce était fermée par une lourde grille de fer, au-delà de laquelle tout était noyé dans une obscurité mystérieuse. Le cœur plein d'amertume Casanova songea à cette aventure, qui aujourd'hui encore lui semblait une de ses plus merveilleuses, et qui avait débuté dans un décor tout semblable : devant sa mémoire se dressèrent les figures des deux religieuses de Murano qui s'étaient rencontrées en amies dans leur amour pour lui, et lui avaient fait connaître ensemble des heures de volupté incomparables. Quand Olivo se mit, à voix basse, à parler de la sévère discipline à laquelle étaient soumises les sœurs, qui, une fois qu'elles avaient pris l'habit, ne devait plus laisser voir leur visage à aucun homme et étaient condamnées au silence perpétuel, un sourire se joua une seconde sur les lèvres de Casanova.

L'abbesse se tenait au milieu d'eux, comme surgie soudain des ténèbres. Elle salua ses hôtes sans prononcer un mot, et elle reçut les remerciements que lui adressait Casanova pour son accueil avec une inclinaison pleine de bonté de sa tête voilée, mais quand Marcolina voulut lui baiser la main, elle la serra dans ses bras. Puis elle les invita tous du geste à la suivre et, à travers une petite pièce voisine, les conduisit dans une galerie qui courait tout autour d'un jardin fleuri. Contrairement à celui du dehors, resté inculte, celui-ci semblait cultivé avec un soin tout particulier : de nombreuses et riches plates-bandes offraient dans le soleil une symphonie merveilleuse de couleurs éblouissantes ou atténuées. Mais les parfums brûlants, presque enivrants, qui s'exhalaient des calices des fleurs, formaient un mélange extraordinaire auquel Casanova ne trouvait rien à comparer dans ses souvenirs. Il allait en dire un mot à Marcolina quand il s'aperçut que c'était d'elle que montait cette odeur mystérieuse qui éveillait le cœur et les sens : elle avait mis sur son bras le châle qui lui couvrait jusque-là les épaules, et c'est de l'échancrure de son corsage qu'émanait le parfum de son corps qui se mêlait, comme celui d'une autre fleur, mais plus rare, à celui de ces milliers de corolles.

L'abbesse toujours muette menait ses visiteurs entre les plates-bandes par d'étroites allées qui faisaient cent détours comme un gracieux labyrinthe. Sa démarche légère et rapide trahissait la joie qu'elle éprouvait à faire admirer à d'autres la beauté multicolore de son jardin, et, comme si elle eût voulu les étourdir, elle allait devant eux, toujours plus vite, telle la conductrice d'une ronde joyeuse. Puis soudain — et Casanova eut l'impression qu'il se réveillait d'un rêve confus — ils se retrouvèrent tous dans le parloir. Au-delà de la grille flottaient des formes : nul n'eût pu dire si c'étaient trois, cinq ou vingt femmes voilées qui erraient çà et là derrière ces barreaux serrés, comme des fantômes effarouchés, et seul l'œil perçant de Casanova pouvait, dans ces ténèbres épaisses, reconnaître des silhouettes humaines. L'abbesse conduisit ses hôtes à la porte et leur indiqua d'un signe qu'elle les congédiait, puis elle disparut brusquement avant même qu'ils

eussent pu lui adresser leurs remerciements.
Soudain, comme ils allaient quitter la pièce, une
voix de femme retentit derrière la grille :
« Casanova ! » rien que ce nom, mais l'accent
était tel qu'il n'imaginait pas l'avoir jamais
entendu. Qui donc avait brisé le vœu sacré ?
Une femme jadis aimée de lui, ou une qu'il
n'avait jamais vue ? Ce qui vibrait dans cette
voix, était-ce la félicité d'un revoir inattendu, la
douleur d'une perte irréparable ou la plainte
d'un cœur qui voyait se réaliser si tard et si
vainement l'ardent désir des jours lointains ?
Casanova était incapable de l'expliquer, il ne
savait qu'une chose : son nom, que tant de fois
la tendresse avait murmuré, tant de fois balbu-
tié la passion, tant de fois crié la volupté, avait
aujourd'hui pour la première fois pénétré jusqu'à son cœur avec le plein accent de l'amour.
Mais pour cette raison même toute curiosité lui
eût paru coupable et inutile, et c'est sur un
secret dont il ne devait jamais résoudre le
mystère que la porte se referma. Si les autres ne
s'étaient, par des regards furtifs et inquiets,
donné à comprendre qu'eux aussi avaient
entendu cet appel, chacun se serait cru pour sa
part victime d'une hallucination. Personne ne
prononça une parole pendant qu'en traversant
le cloître on regagnait la porte. Casanova mar-

chait le dernier la tête baissée, comme après un adieu suprême.

Le portier, qui les attendait, reçut son obole et les visiteurs remontèrent dans leur voiture qui reprit aussitôt le chemin de la maison. Olivo semblait gêné et Amélie absorbée, Marcolina par contre tout à fait calme, et, avec une intention trop marquée, à ce qu'il sembla à Casanova, elle s'efforça d'entraîner Amélie dans une conversation sur des questions de ménage, mais ce fut Olivo qui dut lui répondre. Bientôt Casanova se mêla à l'entretien : il s'entendait fort bien à tout ce qui concernait la cave et la cuisine et ne voyait aucun motif pour ne pas étaler ses connaissances en ces matières comme une nouvelle preuve de son universalité. Amélie à son tour s'arracha à sa rêverie : après l'aventure presque fantastique, et pourtant si angoissante qu'ils venaient de vivre, ils paraissaient tous, et surtout Casanova, heureux de respirer de nouveau une atmosphère si banale et si terre à terre. Quand la voiture fit halte devant la maison d'Olivo, d'où s'échappait vers eux l'odeur engageante du rôti et de toutes sortes d'épices, Casanova était en pleine description d'un appétissant pâté polonais, et

Marcolina, pour le flatter, l'écoutait avec toute l'aimable attention d'une bonne ménagère.

Il se mit à table avec tout le monde et son humeur était si apaisée, presque si joyeuse qu'il s'en étonnait le premier. Il se mit même à faire à Marcolina une cour enjouée et plaisante, comme il sied à un homme bien élevé d'un certain âge à l'égard d'une jeune fille de bonne famille bourgeoise. Elle s'y prêta de bonne grâce et répondit à ses galanteries avec une extrême gentillesse. Il avait grand-peine à se figurer que sa voisine, si comme il faut, était cette même Marcolina qu'il avait cette nuit même vue à sa fenêtre, tandis que de sa chambre s'enfuyait un jeune officier, qui, la minute d'avant, la serrait certainement dans ses bras. Bien difficile d'admettre que cette frêle jeune fille, qui aimait à se rouler dans l'herbe avec des fillettes, entretenait une correspondance savante avec le fameux Saugrenue, de Paris... et il s'en voulait en même temps de cette pauvreté d'imagination. N'avait-il pas mille fois constaté que dans l'âme de tout être vraiment vivant peuvent coexister et faire bon ménage des éléments non seulement divers, mais encore en apparence incompatibles ? Lui-même, tout à l'heure encore remué jusqu'au fond de l'âme, désespéré, prêt au mal, n'était-il pas en ce moment doux, plein de bonté et disposé à faire de si joyeuses plaisanteries que les petites filles d'Olivo en étaient à chaque instant secouées de rire ? Seule une faim extraordinaire, presque bestiale, qui s'emparait toujours de lui après les émotions violentes, lui prouvait que tout en lui n'était pas encore rentré dans l'ordre.

Au dessert, la servante apporta une lettre qu'un exprès, arrivant de Mantoue, venait de lui remettre pour Monsieur le Chevalier. Olivo, remarquant que Casanova pâlissait d'émotion, ordonna de donner à déjeuner au messager, puis dit à son ami :

— Ne vous gênez pas, Chevalier, lisez tranquillement votre lettre.

— Avec votre permission, répliqua Casanova, et, se levant de table après une légère inclination de la tête, il s'approcha de la fenêtre et rompit le cachet avec une indifférence bien jouée. La lettre était du sieur Bragadino, un ami de son père, qu'il connaissait depuis sa jeunesse, vieux garçon maintenant octogénaire et depuis dix ans membre du Grand Conseil, qui semblait défendre à Venise la cause de Casanova avec plus de zèle que ses autres protecteurs. Cette lettre fort aimable, mais d'une écriture un peu tremblée, disait ceci :

« Mon cher Casanova,

« Il m'est enfin possible, et cela me réjouit fort, de vous donner une nouvelle qui, je l'espère, comblera vos désirs. Dans sa dernière séance, tenue hier, le Grand Conseil se déclare prêt à autoriser votre retour à Venise, bien plus il souhaite que vous hâtiez ce retour autant que possible, car on a l'intention d'avoir recours très prochainement à cette active reconnaissance que vous avez manifestée dans de nombreuses lettres. Peut-être ne savez-vous pas, mon cher ami, — il y a si longtemps que nous sommes privés de votre présence — que dans ces derniers temps la situation intérieure, tant politique que morale, de notre chère patrie, est devenue assez critique. Il existe des associations secrètes pour combattre notre constitution, et même, à ce qu'il semble, faire une révolution par les armes. Tout naturellement ce sont surtout des libres-penseurs, des éléments irreligieux, et à tous les points de vue révoltés, qui font partie de ces associations, — on pourrait dire plus brutalement de ces conspirations. Sur les places publiques, dans les cafés, sans parler des maisons particulières, se tiennent, nous le savons, les propos les plus violents, — véritables complots de haute trahison. Mais il est infiniment rare que l'on puisse prendre les gens sur le fait ou avoir contre eux des preuves irrécusables ; en effet, certains aveux, arrachés par la torture, se sont révélés ensuite si peu dignes de foi que quelques membres de notre Grand Conseil se sont prononcés pour qu'on renonce à l'avenir à une méthode d'interrogation si cruelle, et qui en outre aboutit souvent à l'erreur. Sans doute il ne manque pas de gens qui se mettent volontiers au service du gouvernement pour l'aider à maintenir l'ordre et à assurer le bien public, mais la plupart de ces gens-là sont précisément trop connus comme loyaux partisans de la constitution actuelle pour qu'on se laisse aller devant eux à quelque remarque imprudente, encore moins à des propos de haute trahison. Eh bien, dans la séance d'hier, un sénateur, que je préfère ne pas nommer pour le moment, émit l'opinion suivante : un homme qui aurait la réputation de ne pas s'embarrasser de principes moraux et d'être un libre-penseur, bref, un homme comme vous, Casanova, dès qu'il reparaîtrait à Venise, devrait, sans aucun doute, et précisément dans les milieux suspects dont nous parlons, gagner aussitôt la sympathie et, avec un peu d'adresse, inspirer bientôt une confiance absolue. A mon avis, nécessairement, et comme en vertu d'une loi naturelle, se rassembleraient autour de vous ces éléments que, dans le zèle inlassable pour le bien de l'Etat, le Grand Conseil a par-dessus tout à cœur de rendre inoffensifs et de châtier de façon exemplaire. Ainsi, mon cher Casanova, vous nous donneriez non seulement une preuve de votre ardeur patriotique, mais encore une marque évidente de votre reniement complet de ces tendances que vous avez jadis dû expier sous les plombs — durement, sans doute, mais non sans justice : vous le reconnaissez vous-même aujourd'hui, si nous en croyons vos lettres. Il vous suffirait pour cela, aussitôt après votre retour, de vous mettre en relation, dans le sens indiqué plus haut, avec ces éléments que nous avons suffisamment caractérisés, d'avoir avec eux des rapports amicaux, en homme qui partage leurs idées, et sur tout ce qui vous paraîtrait suspect ou bon à savoir vous feriez au Sénat des rapports immédiats et détaillés. On serait disposé à vous donner pour ces services une rémunération de deux cent cinquante lires par mois, sans parler de gratifications supplémentaires pour les cas d'une importance spéciale. Il va de soi qu'on vous rembourserait sans lésiner tous les frais que pourrait exiger votre service (entretien de tel ou tel individu, petits cadeaux aux femmes, etc.). Je ne me dissimule pas que vous aurez à surmonter certains scrupules avant de vous décider dans le sens que nous souhaitons. Mais permettez-moi, en ma qualité de vieil et sincère ami — et en homme qui a été jeune, lui aussi —, de vous faire remarquer qu'il ne peut être déshonorant de rendre à sa patrie bien-aimée n'importe quel service, du moment qu'il doit assurer sa prospérité — fût-ce un service qui pourrait paraître infamant à un citoyen à l'esprit superficiel et peu patriote. J'ajouterais encore volontiers, Casanova, que vous vous y connaissez assez en hommes pour distinguer un étourdi d'un criminel et un railleur d'un hérétique. Vous seriez donc seul maître, dans tous les cas dignes de considération, de donner le pas à la clémence sur la justice et de ne livrer au châtiment que celui qui vous paraîtrait vraiment le mériter. Réfléchissez avant tout à ceci : si vous refusez la proposition bienveillante du Grand Conseil, la satisfaction de votre plus ardent désir, — le retour dans votre ville natale — serait remise à une époque lointaine, indéfinie, je le crains, et moi-même, si j'ose mettre ici cet argument en avant, avec mes quatre-vingts ans, je devrais, suivant toutes les prévisions humaines, renoncer à la joie de vous revoir jamais. Comme votre emploi, pour des raisons facilement concevables, doit avoir un caractère plus confidentiel qu'officiel, je vous prie de m'adresser personnellement votre réponse que je me fais fort de remettre au Grand Conseil lors de sa prochaine réunion, dans huit jours. Mais ne perdez pas une minute, car, je vous l'ai déjà dit, nous recevons quotidiennement des offres de personnes, pour la plupart dignes de toute confiance, qui se mettent bénévolement, et par pur amour de la patrie, à la disposition du Grand Conseil. Il n'en est guère une seule, il est vrai, qui puisse vous être comparée, mon cher Casanova, pour l'expérience et l'intelligence. Si, en dehors de cela, vous voulez tenir un peu compte de ma sympathie pour vous, je ne doute pas que vous ne répondiez avec joie à l'appel qui vous est adressé de si haut et avec tant de bienveillance. En attendant, je reste, avec une inaltérable amitié, votre tout dévoué, Bragadino. »

« P.S. — Je me ferai un plaisir, dès que j'aurai reçu avis de votre décision, de vous adresser une lettre de change de deux cents lires, sur la banque Valori de Mantoue, pour couvrir vos frais de voyage. »

Casanova avait depuis longtemps fini sa lecture qu'il tenait encore la lettre grande ouverte devant sa figure pour dissimuler la pâleur mortelle qui avait envahi son visage bouleversé. Le repas continuait avec bruit, choc d'assiettes et cliquetis de verres, mais personne ne soufflait mot. Enfin Amélie se risqua à dire timidement :

— Le plat va être froid, Chevalier ; vous ne voulez pas vous servir ?

— Merci, dit Casanova, en découvrant sa figure, à laquelle grâce à son art extraordinaire de dissimulation, il avait réussi à donner une expression tranquille, mais ce sont d'excellentes nouvelles que je reçois de Venise et il faut que je réponde immédiatement. Veuillez donc m'excuser si je me retire sur-le-champ.

— A votre aise, Chevalier, dit Olivo, mais n'oubliez pas que nous commencerons à jouer dans une heure.

Remonté dans sa chambre, Casanova s'affaissa sur une chaise : une sueur froide lui coulait sur tout le corps, des frissons le secouaient et le dégoût qui lui montait à la gorge lui donnait l'impression qu'il allait étouffer. Incapable tout d'abord de rassembler deux idées, il dut employer toute son énergie à se maîtriser, mais il n'aurait pu dire contre quoi ou

119

contre qui. Car il n'y avait personne de la maison sur qui passer sa formidable colère ; l'idée l'effleura bien que Marcolina pourrait avoir trempé dans cet innommable outrage, qui venait de l'atteindre, mais il eut assez de raison pour reconnaître que c'était pure folie. Dès qu'il fut ressaisi, sa première pensée fut de tirer vengeance des misérables qui avaient cru pouvoir le soudoyer comme agent provocateur. Sous un déguisement quelconque il s'introduirait à Venise et par ruse ferait passer de vie à trépas toutes ces canailles,... une tout au moins, celle qui avait conçu cet ignoble plan. Ne serait-ce pas Bragadino en personne ? Pourquoi pas ? Un vieillard tombé assez bas pour oser lui écrire cette lettre, assez imbécile pour le croire capable, lui Casanova — ce Casanova qu'il avait pourtant connu jadis ! — de jouer le rôle d'espion ! Ah, il ne connaissait plus Casanova ! Personne ne le connaissait plus, ni à Venise ni ailleurs. Mais on apprendrait quel homme il était. Sans doute il n'était plus ni assez jeune ni assez beau pour séduire une jeune fille vertueuse... il n'était plus assez souple et assez agile pour s'évader d'une prison et faire des acrobaties au faîte d'un toit, mais il était encore plus malin qu'eux tous. Qu'il fût seulement à Venise et il y manœuvrerait à sa guise : il ne s'agissait donc que d'y arriver enfin. Peut-être même ne serait-il pas nécessaire de tuer personne : il y avait toutes sortes de vengeances, de plus intelligentes, de plus diaboliques qu'un meurtre banal. S'il feignait d'accepter la proposition de ces Messieurs, ce serait la chose la plus facile du monde de perdre précisément ceux que lui voulait perdre, et non ceux que visait le Grand Conseil et qui étaient à coup sûr les plus braves gens de tout Venise. Comment ? Parce qu'ils étaient les adversaires de cet infâme gouvernement, parce qu'ils passaient pour hérétiques, ils devraient aller sous ces mêmes plombs où il avait lui-même langui vingt-cinq ans plus tôt, ou tendre le cou à la hache du bourreau ? Il haïssait ce gouvernement cent fois plus, et à plus juste raison, que ces gens-là ; hérétique il l'avait été toute sa vie, il l'était encore et avec plus de conviction qu'eux tous. Il n'avait fait dans ces dernières années que se jouer une misérable comédie, par ennui, par dégoût. Croire en Dieu, lui ? Qu'est-ce que c'était que ce Dieu qui ne favorisait que les jeunes et abandonnait les vieux ? Un Dieu qui, à son gré, se changeait en diable et transformait la richesse en misère, le malheur en bonheur, la joie en désespoir ? Tu te joues de nous, et il faut que nous te prions ? Douter de toi, c'est le seul

moyen qui nous reste de ne pas te blasphémer.
Ne sois pas, car, si tu es, je suis forcé de te
maudire. Et se redressant il tendait le poing au
ciel. Malgré lui, un nom abhorré lui monta aux
lèvres : Voltaire ! Ah oui, il était maintenant en
bonne disposition pour achever son ouvrage
contre le vieux sage de Ferney. L'achever ?
Non, il allait seulement le commencer. Un
nouveau ! Un autre !... dans lequel ce vieillard
ridicule sera traité comme il le mérite... pour
ses précautions, ses demi-mesures, ses plati-
tudes. Un incrédule, lui ? Un homme dont on
entendait sans cesse répéter, ces derniers
temps, qu'il était au mieux avec les *calotins,*
qu'il allait à l'église, et à confesse les jours de
fêtes ? Un hérétique, ce bonhomme-là ? Un
beau parleur, oui, un poltron hâbleur, voilà
tout. Mais maintenant arrivait le jour terrible
du règlement de comptes, et du grand philosophe il ne resterait plus rien... rien qu'un petit
gratte-papier malicieux. Il s'en donnait des airs,
ce bon Monsieur de Voltaire... « Ah, mon cher
Monsieur Casanova, je vous en veux pour de
bon. Que m'importent les œuvres de Monsieur
Merlin ? Vous êtes cause que j'ai perdu quatre
heures à lire des sottises. — Affaire de goût,
mon cher Monsieur de Voltaire. On lira encore
les ouvrages de Merlin que *la Pucelle* sera

depuis longtemps oubliée... et mes sonnets, eux aussi, ces sonnets que vous m'avez rendus avec un sourire impertinent et sans m'en dire un mot. Mais ce ne sont là que bagatelles. Ne mêlons pas à de hautes questions des susceptibilités d'écrivain. Il s'agit de philosophie, de Dieu... ! Nous croiserons le fer, Monsieur de Voltaire, seulement ne me jouez pas le tour de mourir trop tôt. »

Il songeait déjà à se mettre au travail sur-le-champ, quand il se souvint que le messager attendait sa réponse. Et d'une main fiévreuse il écrivit à ce vieil imbécile de Bragadino une lettre pleine d'une feinte humilité et d'un ravissement mensonger : il acceptait avec une joyeuse reconnaissance la grâce du Grand Conseil et attendait, par retour du courrier, la lettre de change, afin de pouvoir le plus tôt possible se jeter aux pieds de ses bienfaiteurs, et avant tout de son paternel et vénérable ami Bragadino.

Il était en train de sceller sa lettre quand on frappa doucement à la porte : la fille aînée d'Olivo, celle de treize ans, entra et lui annonça que toute la compagnie était déjà réunie et attendait le chevalier avec impatience pour commencer la partie. Elle avait dans les yeux une lueur étrange et les joues rouges; ses cheveux, épais comme ceux d'une femme, jetaient sur ses tempes une ombre bleuâtre, et sa bouche enfantine était entrouverte.

— Est-ce que tu as bu du vin, Teresina? lui demanda Casanova en allant à elle.

— Mais oui… et vous l'avez tout de suite vu, Monsieur le Chevalier?

Elle rougit encore et, un peu confuse, se passa la langue sur la lèvre inférieure. Casanova, l'empoignant aux épaules, lui souffla son haleine au visage, l'entraîna et la jeta sur le lit. Elle le regarda en ouvrant de grands yeux éperdus, d'où toute lumière avait disparu, mais, quand elle ouvrit la bouche comme pour crier, Casanova prit un air si menaçant qu'elle fut en quelque sorte fascinée et le laissa faire. Il la couvrait de baisers passionnés et lui murmurait :

— Il ne faudra pas le dire à l'abbé, Teresina, pas même en confession. Et quand, plus tard, tu auras un amant, ou un fiancé, ou même un mari, il n'aura pas non plus besoin de le savoir. D'ailleurs il faudra toujours mentir, même à ton père, à ta mère et à tes sœurs, si tu veux être heureuse en ce monde : retiens bien cela !

Ainsi il débitait des blasphèmes, que Teresina prenait sans doute pour des paroles saintes, car elle lui saisit la main et la baisa avec dévotion, comme elle eût fait celle d'un prêtre. Il éclata de rire.

— Viens, dit-il alors, viens, ma petite femme, nous allons faire notre entrée en bas, bras dessus bras dessous.

Elle fit bien quelques simagrées, mais finit par sourire d'un air satisfait.

Il était grand temps qu'ils sortissent de la chambre, car Olivo arrivait en haut de l'escalier, très échauffé et les sourcils froncés : Casanova soupçonna aussitôt que quelques plaisanteries un peu vives du marquis ou de l'abbé sur l'absence prolongée de la petite avaient pu donner à penser au père. Le visage de celui-ci s'éclaira dès qu'il vit sur le seuil Casanova et la petite, suspendue à son bras en manière de jeu.

— Excusez-moi, mon bon Olivo, dit Casanova, si je vous ai fait attendre : j'ai dû d'abord terminer ma lettre. Et il la tendit à Olivo comme pièce justificative.

— Prends-la, dit Olivo à Teresina, tout en remettant en ordre ses cheveux un peu ébouriffés, et porte-la au messager.

— Et voici deux pièces d'or pour lui, ajouta Casanova, tu les lui donneras : qu'il se dépêche pour que ma lettre puisse partir aujourd'hui de

Mantoue pour Venise, et qu'il prévienne mon hôtesse que je serai de retour… ce soir même.

— Ce soir ! s'écria Olivo, impossible !

— Eh bien, nous verrons, dit Casanova avec condescendance. Tiens Teresina, voilà une pièce d'or pour toi, — et comme Olivo voulait protester — mets-la dans ta tirelire : la lettre que tu tiens vaut bien quelques milliers de ducats.

Teresina se sauva en courant et Casanova hocha la tête avec satisfaction : il éprouvait un plaisir tout particulier à payer devant le père les faveurs de cette petite gaillarde, dont la mère et la grand-mère lui avaient appartenu avant elle.

Quand Casanova entra avec Olivo dans la salle la partie était déjà en train. Il répondit avec un air de dignité enjouée à l'accueil exagérément cérémonieux qu'on lui fit et s'assit en face du marquis qui taillait la banque. Les fenêtres sur le jardin étaient ouvertes : Casanova entendit des voix qui se rapprochaient ; Marcolina et Amélie passaient : elles jetèrent un bref coup d'œil dans la salle, puis disparurent et on ne les revit pas. Pendant que le marquis donnait les cartes, Lorenzi s'adressa à Casanova avec une extrême politesse :

— Mes compliments, Chevalier, vous étiez mieux renseigné que moi : notre régiment part en effet demain dans l'après-midi.

Le marquis parut surpris :

— Et c'est maintenant seulement que vous nous l'annoncez ?

— Cela n'a pas tant d'importance.

— Pour moi, non, fit le marquis, mais pour ma femme, vous ne croyez pas ? — Il eut un rire rauque et déplaisant. — D'ailleurs un peu pour moi aussi. Vous m'avez gagné hier quatre cents ducats et je n'aurai plus le temps de vous les reprendre.

— A nous aussi, le lieutenant nous a gagné de l'argent, dit le plus jeune des Ricardi, et l'aîné, le taciturne, regarda par-dessus son épaule son frère qui, comme la veille, se tenait derrière lui.

— On ne force ni la chance ni…, commença l'abbé, mais ce fut le marquis qui acheva :

— Les force qui veut.

Lorenzi étala distraitement ses pièces d'or sur la table.

— Les voici : toutes sur une carte, marquis, si vous voulez, pour que vous n'ayez pas à courir longtemps après votre argent.

Casanova éprouva brusquement une sorte de pitié pour Lorenzi, sans pouvoir bien se l'expli-

quer : mais, comme il croyait à ses pressenti-
ments, il était persuadé que la première bataille
serait fatale au lieutenant. Le marquis n'accepta
pas ce gros enjeu, et Lorenzi n'insista pas.
Ainsi, comme la veille, la partie, à laquelle les
autres s'associaient en de modestes propor-
tions, continua à une allure modérée d'abord.
Mais un quart d'heure après, les enjeux avaient
déjà monté et Lorenzi eut bientôt reperdu
contre le marquis ses quatre cents ducats.
Quant à Casanova, la chance ne paraissait
guère s'occuper de lui : il gagnait, perdait et
regagnait avec une régularité presque ridicule.
Quand sa dernière pièce d'or eut roulé vers le
marquis, Lorenzi se leva avec un soupir de
soulagement.

— Je vous remercie, Messieurs, dit-il. Voici
bien probablement... il hésita... la dernière
partie que je jouerai d'ici longtemps dans cette
maison hospitalière. Maintenant, mon bon
Monsieur Olivo, permettez-moi d'aller saluer
ces dames avant de reprendre le chemin de la
ville : je voudrais y arriver avant le coucher du
soleil afin d'achever mes préparatifs pour
demain.

« Effronté menteur, pensait Casanova, cette
nuit tu seras encore ici, dans les bras de
Marcolina. » Et toute sa colère se rallumait.

— Comment, s'écria le marquis avec humeur ! Nous avons encore de longues heures jusqu'au soir et le jeu serait déjà fini ? Si vous voulez, Lorenzi, mon cocher ira à la maison prévenir la marquise que vous restez encore un peu ici.

— Je vais à Mantoue, riposta Lorenzi avec impatience.

Le marquis, sans tenir compte de ces mots, continua :

— Nous avons bien le temps ; allons, sortez-nous donc vos pièces à vous, si peu nombreuses qu'elles soient. Et il lui lança une carte.

— Il ne me reste pas une seule pièce d'or, dit Lorenzi, d'un ton bas.

— Que dites-vous là ?

— Pas une, répéta Lorenzi d'un air dégoûté.

— Qu'importe, s'écria le marquis avec une amabilité soudaine qui ne fit pas très bonne impression. Pour moi, vous valez bien dix ducats, plus s'il le faut.

— Eh bien, alors, un ducat, dit Lorenzi en prenant les cartes.

Le marquis les battit avec les siennes. Et Lorenzi continua à jouer comme si cela allait de soi ; bientôt il devait cent ducats au marquis. Casanova prit alors la banque et fut encore plus heureux que le marquis. C'était redevenu une

129

partie à trois, et ce jour-là les frères Ricardi n'y trouvaient rien à redire : avec Olivo et l'abbé ils se contentaient d'être des spectateurs émerveillés. On n'échangeait pas une parole : seules les cartes parlaient, et leur langage n'était que trop clair. Le hasard du jeu voulut que tout l'argent liquide tombât aux mains de Casanova : au bout d'une heure, il avait gagné à Lorenzi deux mille ducats, qui, en fait, étaient sortis de la poche du marquis maintenant sans le sou. Casanova mit à sa disposition la somme qu'il voudrait, mais le marquis secoua la tête.

— Merci, dit-il, mais maintenant c'est suffisant : pour moi, la partie est finie.

Du jardin arrivaient les rires et les appels des enfants. Casanova, qui tournait le dos à la fenêtre, distingua la voix de Teresina, mais ne se retourna pas. Il essaya encore, dans l'intérêt de Lorenzi, et sans trop savoir pourquoi, de décider le marquis à continuer à jouer : celui-ci ne répondit qu'en secouant plus énergiquement la tête, et Lorenzi se leva.

— J'aurai l'avantage, Monsieur le Marquis, de vous remettre moi-même demain, avant midi, ce que je vous dois.

Le marquis eut un rire bref.

— Je suis curieux de voir comment vous vous

y prendrez, Monsieur le lieutenant Lorenzi : il n'y a personne, à Mantoue ni ailleurs, pour vous prêter seulement dix ducats, ne parlons pas de deux mille, aujourd'hui surtout, puisque vous partez demain en campagne et qu'il n'est pas bien sûr que vous en reveniez.

— Vous aurez votre argent à huit heures demain matin je vous en donne ma parole d'honneur.

— Votre parole d'honneur, dit froidement le marquis, pour moi ne vaut pas un ducat, encore moins deux mille.

Les auditeurs retenaient leur respiration. Mais Lorenzi se contenta de répondre, sans paraître autrement ému :

— Vous me rendrez raison, Monsieur le Marquis.

— Avec plaisir, lieutenant, dès que vous aurez acquitté votre dette.

Olivo, très péniblement impressionné, balbutia :

— Je me porte garant pour cette somme, Monsieur le Marquis. Je n'ai malheureusement pas sous la main cet argent liquide pour... sur-le-champ..., mais cette maison, ma propriété... et il faisait non sans maladresse, un geste circulaire.

— Je n'accepte pas votre caution, dit le

131

marquis, et cela dans votre intérêt : vous per-
driez votre argent.

Casanova remarqua que tous les regards se
dirigeaient vers le tas d'or qu'il avait devant lui.
« Si je répondais pour Lorenzi, se dit-il, si je
payais pour lui... le marquis ne pourrait pas me
refuser... ne serait-ce pas presque mon devoir ?
Car cet or vient du marquis. » Pourtant il ne dit
rien : il sentait se former en lui un plan auquel il
fallait, avant tout, laisser le temps de se dessiner
clairement.

— Vous aurez votre argent ce soir même, dit
Lorenzi, je serai à Mantoue dans une heure.

— Votre cheval peut se casser le cou, riposta
le marquis, vous aussi, peut-être exprès.

— Mais enfin, s'écria l'abbé indigné, le lieutenant ne peut pas faire venir cet argent par
enchantement !

Les deux Ricardi poussèrent un éclat de rire
aussitôt étouffé.

— Il est évident, dit Olivo au marquis, que
vous devez avant tout autoriser le lieutenant
Lorenzi à partir.

— Contre un gage, s'écria celui-ci, les yeux
étincelants, comme si cette idée soudaine lui
causait un plaisir tout particulier.

— Cela ne me paraît pas mal trouvé, dit

132

Casanova un peu distraitement car son plan commençait à mûrir. Lorenzi ôta une bague de son doigt et la lança sur la table ; le marquis la prit :

— Cela peut aller pour mille ducats.

— Et celle-ci ? Et Lorenzi jetait une deuxième bague devant le marquis.

— Pour la même valeur, fit celui-ci avec un signe de tête !

— Etes-vous satisfait, Monsieur le Marquis ? dit Lorenzi, se mettant en devoir de partir.

— Certainement, répondit-il en souriant, et d'autant plus que ces bagues ont été volées.

Lorenzi se retourna d'un mouvement violent et leva son poing pour le laisser retomber, à travers la table, sur le marquis. Mais Olivo et l'abbé lui saisirent le bras.

— Je reconnais ces deux pierres, continua le marquis sans faire un mouvement, bien qu'on en ait changé les montures : voyez, messieurs, l'émeraude a un léger défaut, sans quoi elle vaudrait dix fois plus ; le rubis lui, est irréprochable, mais pas très gros. Ces deux pierres proviennent d'un bijou que j'ai naguère offert à ma femme, et, comme je ne peux tout de même pas admettre que la Marquise les ait fait monter en bagues pour le lieutenant Lorenzi, il faut bien reconnaître que le bijou a été volé. Mais le gage me suffit, Monsieur le lieutenant, jusqu'à nouvel ordre.

— Lorenzi, s'écria Olivo, vous avez notre parole à tous que pas une âme n'apprendra jamais ce qui vient de se passer ici.

— Et quoi qu'ait pu faire Monsieur Lorenzi, dit Casanova, c'est vous, Marquis, la vraie canaille.

— Je l'espère bien, répliqua ce dernier. A notre âge, Chevalier de Seingalt, il ne faut se laisser surpasser par personne en fait de canaillerie. Bonsoir, Messieurs.

Il se leva et sortit, sans que personne eût répondu à son salut. Pendant quelques instants le silence régna, si profond, qu'on entendait sonner dans le jardin, comme un bruit excessif, le rire des enfants. Qui donc aurait pu trouver les mots capables de pénétrer dans l'âme de Lorenzi qui restait toujours là, debout, le bras tendu au-dessus de la table ? Casanova, qui seul était resté à sa place, trouvait malgré lui une satisfaction artistique à contempler ce geste, qui n'avait plus de signification, il est vrai, mais noblement menaçant, et qui, ainsi pétrifié, semblait changer le jeune homme en statue. Enfin Olivo se tourna vers lui avec un signe d'apaisement, les Ricardi se rapprochèrent et l'abbé fit mine de vouloir commencer un petit sermon : alors tout le corps de Lorenzi fut secoué d'un frisson ; d'un geste impérieux et indigné il arrêta toute tentative d'intervention, et, saluant poliment de la tête, il sortit sans hâte de la pièce.

Aussitôt Casanova, qui entre-temps avait noué les pièces d'or dans un coin de son mouchoir de soie, se leva et le suivit. Il sentait, sans même voir la figure que faisaient les autres, qu'ils pensaient tous la même chose : il se hâtait pour faire ce qu'ils avaient tout le temps attendu de lui, mettre à la disposition de Lorenzi la somme qu'il venait de gagner.

Il rejoignit Lorenzi dans l'allée de marronniers qui allait de la maison au portail, et lui dit d'un ton léger :

— Me permettez-vous, lieutenant Lorenzi, de vous accompagner ?

Sans tourner les yeux vers lui, et sur un ton hautain qui n'était guère en harmonie avec sa situation présente, celui-ci répondit :

— Comme il vous plaira, Chevalier, mais je crains que vous ne trouviez pas grand intérêt à ma compagnie.

— Mais vous, lieutenant vous n'en trouverez peut-être que plus à la mienne, et, si vous n'y voyez pas d'objection, prenons le chemin des vignes où nous pourrons bavarder tout à notre aise.

Quittant l'allée carrossable ils prirent l'étroit sentier qui côtoyait le mur et que Casanova connaissait déjà pour l'avoir suivi la veille avec Olivo.

— Vous supposez avec raison, commença celui-ci que je suis décidé à vous offrir la somme que vous devez au marquis — non à titre de prêt, car... excusez-moi — cela me paraîtrait bien risqué, mais comme rémunération, bien modeste, il est vrai, d'un service que vous seriez peut-être à même de me rendre.

— Je vous écoute, dit froidement Lorenzi.

— Avant d'aller plus loin, poursuivit Casanova sur le même ton, je me vois forcé de vous poser une condition, et la suite de cet entretien dépendra de votre acceptation.

— Dites votre condition.

— Je vous demande votre parole d'honneur de m'écouter jusqu'au bout sans m'interrompre, même si ce que j'ai à vous dire devait vous étonner, vous déplaire ou vous irriter. Il dépendra entièrement de vous, lieutenant Lorenzi, d'accepter ensuite ou de repousser ma proposition — elle est fort peu habituelle, je ne me fais aucune illusion à ce sujet — mais la réponse que j'attends de vous n'est qu'un « oui » ou un

« non » : quelle que doive être votre décision, jamais âme qui vive n'apprendra rien de ce qui aura été dit ici entre deux hommes d'honneur, qui sont peut-être aussi deux hommes perdus.

— Je suis prêt à écouter votre proposition.

— Et vous acceptez ma condition préalable ?

— Je ne vous interromprai pas.

— Et vous ne me répondrez qu'un mot : oui ou non.

— Pas un mot de plus.

— Alors, bien.

Et tout en gravissant la colline lentement, entre les rangées de ceps, sous un ciel étouffant en cette fin d'après-midi, Casanova commença :

— Traitons cette affaire en obéissant aux lois de la logique, c'est la meilleure façon de nous entendre. Il vous est évidemment impossible de vous libérer envers le marquis dans le délai qu'il a fixé, et dans le cas où vous ne le paieriez pas, aucun doute non plus : il est bien résolu à vous perdre. Il en sait sur votre compte plus qu'il ne vous en a révélé aujourd'hui. (Ici Casanova s'avançait plus qu'il n'était nécessaire, mais il aimait assez ces petites aventures non exemptes de danger, où il suivait d'ailleurs une voie toute tracée). Vous êtes donc, en fait, entièrement à la merci de ce misérable et votre sort comme officier, comme gentilhomme serait réglé. Ceci, c'est un côté de l'affaire. Au contraire vous êtes sauvé du moment que vous aurez payé votre dette et repris ces bagues... peu importe comment elles étaient tombées en votre possession. Or être sauvé cela ne signifie rien moins, en la circonstance, que reconquérir une vie que vous considérez déjà, autant dire, comme gâchée, c'est-à-dire, jeune, beau et hardi, comme vous l'êtes, une existence pleine d'éclat, de bonheur et de gloire. Une telle perspective est assez séduisante, il me semble, pour qu'on lui sacrifie un préjugé, qu'au fond l'on n'a jamais eu personnellement — surtout quand rien ne vous attend de l'autre côté, qu'une fin obscure et ignominieuse. Je le sais, Lorenzi, ajouta-t-il vivement, comme s'il s'attendait à une protestation et qu'il voulut la prévenir, vous n'avez pas de préjugé, pas plus que je n'en ai ou n'en ai jamais eu : ce que je vais vous demander c'est une chose que moi-même à votre place et dans les mêmes circonstances, je n'hésiterais pas à accepter. Car je n'ai jamais hésité, quand le destin ou simplement mon caprice l'exigeait, à commettre un de ces actes que les imbéciles appellent une infamie. Mais en revanche, j'étais toujours prêt, — comme vous, Lorenzi, — à risquer ma vie pour moins que rien, ce qui rachète tout. J'y suis encore prêt, dans le cas où ma proposition ne vous agréerait pas. Nous sommes de la même trempe, Lorenzi, frères par l'esprit et nos deux âmes peuvent s'affronter sans fausse honte, fières et nues. Voici mes deux mille ducats — ou plutôt les vôtres — car ils sont à vous, si vous me laissez passer la nuit qui vient à votre place auprès de Marcolina. Ne nous arrêtons pas, Lorenzi, continuons à marcher.

Ils passèrent dans les champs de vigne, où, sous les arbres fruitiers, s'alignaient les ceps chargés de grappes, et Casanova continua :

— Ne me répondez pas encore, Lorenzi, car je n'ai pas tout dit. Ma prétention serait naturellement, je ne dis pas monstrueuse, mais insensée, et n'aurait aucune chance de sucès si vous aviez l'intention de faire de Marcolina votre femme, ou si elle-même laissait vos espoirs et vos désirs s'égarer dans cette direction. Mais si la nuit passée a été votre première nuit d'amour avec elle, (il émettait cette supposition comme une certitude indubitable) la prochaine, d'après tous les calculs humains, d'après vos propres prévisions et celles de

Marcolina, devait être votre dernière, pour bien longtemps,... et probablement pour toujours. Je suis absolument convaincu que Marcolina elle-même, pour sauver son amant d'une perte certaine, serait prête, sans hésiter, et sur un simple désir de lui, à accorder cette nuit à son sauveur. Car elle est philosophe et par conséquent aussi affranchie de tout préjugé que nous deux. Mais si sûr que je sois qu'elle supporterait cette épreuve, il n'est nullement dans mes intentions de la lui imposer. Car posséder une femme passive, résistant dans son for intérieur, cela ne me suffirait pas, précisément en ce cas. Ce n'est pas seulement en amant, c'est en être aimé que je veux jouir d'une félicité qui mériterait, à mon sens, d'être payée de ma vie. Comprenez-moi bien, Lorenzi : Marcolina ne doit pas soupçonner que c'est moi qu'elle serre contre sa poitrine : il faut qu'elle soit persuadée que c'est vous qu'elle tient dans ses bras. Cette illusion, c'est à vous de la préparer, à moi de la faire durer. Il ne vous sera pas bien difficile de lui faire admettre que vous serez obligé de la quitter avant l'aube, et vous ne serez pas non plus embarrassé de trouver un prétexte pour la convaincre que vous ne pourrez cette fois lui accorder que de muettes caresses. D'ailleurs, pour écarter tout risque d'une découverte ulté-

140

rieure, je feindrai, au moment voulu, d'entendre un bruit suspect sous la fenêtre, je prendrai mon manteau — ou plutôt le vôtre, que vous devrez, bien entendu, me prêter à cette fin — et je disparaîtrai par la fenêtre — pour toujours. Car je ferai semblant, cela va de soi, de partir dès ce soir, puis en route, sous prétexte d'avoir oublié des papiers importants, je dirai au cocher de faire demi-tour, et par la porte de derrière — vous m'en remettrez la clef, — je me glisserai dans le jardin jusque sous la fenêtre de Marcolina, qui s'ouvrira à minuit. Je me serai débarrassé dans la voiture de tous mes vêtements, bas et souliers compris, et je m'envelopperai du seul manteau, en sorte qu'après ma disparition rien ne reste qui puisse nous trahir l'un ou l'autre. Quant à votre manteau il vous sera remis, en même temps que les deux mille ducats, demain matin à cinq heures, en mon auberge de Mantoue, et ainsi vous pourrez, avant l'heure fixée, jeter son or au marquis. Ceci je vous en fais le serment solennel. Et maintenant, c'est tout.

Il s'arrêta brusquement. Le soleil descendait vers l'horizon, un vent léger effleurait les épis dorés, et une couleur rougeâtre éclairait la tour de la maison d'Olivo. Lorenzi aussi s'était

141

arrêté ; pas un muscle ne bougeait sur son visage pâle et, immobile, il regardait au loin par-dessus l'épaule de Casanova. Il laissait pendre ses bras mollement, tandis que Casanova, prêt à tout, jouait négligemment avec la poignée de son épée. Quelques secondes s'écoulèrent sans que Lorenzi renonçât à son immobilité et à son silence : il paraissait absorbé dans une méditation tranquille. Pourtant Casanova, toujours sur ses gardes, dans sa main gauche le mouchoir qui contenait les ducats, la droite toujours sur son épée, reprit :

— Vous avez observé mes conditions en homme d'honneur : je sais que cela ne vous a pas été facile. Car si nous n'avons aucun préjugé, l'atmosphère dans laquelle nous vivons en est tellement empoisonnée que nous ne pouvons nous dérober complètement à leur influence. Et si vous, dans ce dernier quart d'heure, vous avez été plus d'une fois sur le point de me sauter à la gorge, de mon côté, laissez-moi vous l'avouer, j'ai un moment caressé la pensée de vous faire cadeau des deux mille ducats comme... comme à un ami, car j'ai rarement éprouvé, Lorenzi, une sympathie mystérieuse comme celle qui m'a attirée vers vous à première vue. Mais si j'avais cédé à ce mouvement généreux, je l'aurais profondément regretté la minute d'après. Et vous, Lorenzi, au moment de vous loger une balle dans la tête, vous auriez reconnu avec désespoir votre folie sans bornes d'avoir sacrifié des milliers de nuits d'amour avec des femmes sans cesse nouvelles, pour une seule nuit, qui n'aurait jamais été suivie d'aucune autre, ni d'aucun jour.

Lorenzi gardait toujours le silence : cela dura des secondes, des minutes, et Casanova se demandait combien de temps il pourrait le supporter. Il était sur le point de se retirer après un bref salut, pour bien montrer qu'il considé-rait que son offre était repoussée, quand Lorenzi, toujours sans un mot, mit sans hâte la main dans sa poche et tendit la clef du jardin à Casanova, qui, toujours sur ses gardes, avait reculé d'un pas comme pour éviter un coup. Ce mouvement, qui avait trahi une sorte de frayeur, amena sur les lèvres de Lorenzi un sourire ironique, aussitôt disparu. Casanova réussit à dominer, à cacher même la rage qui montait en lui, mais dont l'explosion eût tout remis en question : prenant la clef avec une légère inclination de la tête, il se contenta de dire :

— Je peux considérer ceci comme un oui. Dans une heure d'ici — vous vous serez dans l'intervalle entendu avec Marcolina — je vous attends dans la tour où j'aurai l'honneur, en échange de votre manteau, de vous remettre sur-le-champ les deux mille pièces d'or, en témoignage de ma confiance d'abord, ensuite parce que je ne saurais vraiment pas où mettre cet or dans le courant de la nuit.

Sur quoi ils se séparèrent sans autre formalité : Lorenzi reprit le chemin qu'ils avaient suivi tous deux, et Casanova se rendit par un autre à l'auberge du village où en versant des arrhes généreux, il s'assura une voiture qui devait, à dix heures du soir, l'attendre devant la maison d'Olivo pour le conduire à Mantoue.

Bientôt après, dès qu'il eut mis son or en lieu sûr dans la tour, il descendit au jardin où s'offrit à ses yeux un tableau qui, sans avoir rien d'extraordinaire, le toucha singulièrement dans la disposition d'esprit où il était. Assis à côté d'Amélie sur un banc, au bord de la prairie, Olivo avait le bras sur les épaules de sa femme ; à leurs pieds étaient groupées les trois petites filles, lasses sans doute de leurs jeux de l'après-midi. La plus jeune, Maria, la tête posée sur les genoux de sa mère, paraissait sommeiller,

Nanetta était couchée sur le gazon, devant elle, les bras sous la nuque, et Teresina était blottie contre les genoux de son père qui, tendrement, jouait avec les boucles de ses cheveux. Quand Casanova s'approcha, elle ne lui jeta pas le regard d'intelligence lascive qu'il attendait malgré lui : elle l'accueillit avec un franc sourire de confiance enfantine, comme si ce qui s'était passé entre eux quelques heures plus tôt n'avait été qu'un jeu sans importance. Le visage d'Olivo s'éclaira d'une lueur d'affection, et Amélie fit au nouvel arrivant un signe de tête reconnaissant et cordial. Tous deux l'accueillaient, Casanova ne pouvait en douter, comme un homme qui vient de se conduire noblement mais qui compte bien que, par délicatesse, on évitera de faire aucune allusion à son acte.

— Est-ce que vous persistez vraiment, mon cher Chevalier, demanda Olivo, à nous quitter demain ?

— Pas demain, répondit Casanova, mais, comme je vous l'ai dit, ce soir même.

Olivo allait essayer d'insister encore, mais Casanova, haussant les épaules d'un air de regret, lui dit :

— La lettre que j'ai reçue aujourd'hui de Venise ne me laisse malheureusement pas le choix. L'invitation que l'on m'adresse est à tous

145

les points de vue si flatteuse que tout retard de ma part serait une grave, une impardonnable impolitesse à l'égard de mes protecteurs.

Et il demanda la permission de se retirer afin de tout préparer pour son départ et de pouvoir ensuite passer tranquillement les dernières heures de son séjour au milieu de ses aimables amis.

Et sans écouter aucune objection, il entra dans la maison, monta dans sa tour et, tout d'abord, changea son costume de gala contre l'autre, bien suffisant pour le voyage. Puis il fit sa valise et guetta avec une attention, plus vive de minute en minute, s'il n'entendait pas enfin les pas de Lorenzi. Un peu avant l'heure fixée, un coup bref fut frappé à la porte et Lorenzi entra, enveloppé d'un grand manteau bleu foncé. Sans dire un mot, il le fit d'un léger mouvement glisser de ses épaules, si bien qu'il s'abattit par terre entre les deux hommes comme un amas de drap informe. Casanova tira ses pièces d'or de dessous son traversin et les étala sur la table. Il les compta avec soin sous les yeux de Lorenzi, et ce fut vite fait, car beaucoup de pièces, dans le nombre, valaient plus d'un ducat, et remit à Lorenzi la somme convenue, après l'avoir partagée en deux paquets. Cela fait, il lui restait encore une centaine de ducats. Lorenzi mit l'or dans deux de ses poches et voulut se retirer, toujours sans dire un mot.

— Halte, Lorenzi, dit Casanova ; il est possible que nous nous rencontrions encore dans la vie : que ce soit alors sans rancune. C'est un marché comme un autre : nous sommes quittes.

Et il lui tendit la main. Lorenzi ne la prit pas, mais prononça sa première parole :

— Je ne sache pas, dit-il, que cela aussi fût dans notre pacte.

Et tournant le dos il sortit.

« Nous sommes donc si strict que cela, mon ami ? pensa Casanova. Je n'en peux que plus sûrement compter ne pas être le dindon de la farce. » Pas un moment d'ailleurs il n'avait songé que pareille chose pût être possible : il savait par expérience que les gens de la catégorie de Lorenzi ont leur honneur à eux, dont le code ne saurait être rédigé en paragraphes, mais qu'on ne peut, dans ces cas particuliers, mettre en doute. Il plaça le manteau de Lorenzi dans sa valise, sur le dessus, et la ferma, puis serra dans sa poche les pièces d'or qui lui restaient, jeta un regard circulaire sur cette chambre, où sans doute il ne mettrait plus jamais les pieds, et, chapeau en tête et épée à la main, tout prêt pour le voyage, il descendit dans la salle à manger : Olivo et les siens y étaient déjà attablés. Marcolina, venant du jardin, y entrait en même temps que lui, et il vit là un présage de bon augure ; elle répondit à son salut par un signe de tête parfaitement naturel.

On servit le dîner ; la conversation fut d'abord lente, presque pénible et comme assourdie par l'impression de la séparation prochaine. Amélie paraissait exclusivement préoccupée de surveiller ses filles et ce qu'on leur servait ; Olivo parlait, sans nécessité apparente, d'un procès peu important contre un de ses voisins, qui venait de se terminer en sa faveur, et d'un voyage d'affaires qui le mènerait bientôt à Mantoue et à Crémone. Quant à Casanova, il exprimait l'espoir de revoir son ami à Venise : par un singulier hasard, Olivo n'y était jamais allé. Amélie, au contraire, avait vu dans son enfance la ville merveilleuse : elle n'aurait pas su dire comme elle y avait été et se souvenait seulement d'un vieillard, enveloppé d'un manteau écarlate, qui, en débarquant d'une longue gondole, avait trébuché et était tombé de tout son long.

— Vous non plus vous ne connaissez pas Venise ? demanda Casanova à Marcolina qui, assise en face de lui et la tête tournée, plongeait ses regards dans l'obscurité du jardin. Elle fit non de la tête. « Ah, pensa Casanova, si je pouvais te la montrer, la ville de ma jeunesse ! Que n'y as-tu été jeune en même temps que moi !... » Et une idée non moins insensée que celle-là lui traversa l'esprit : « Si je t'y emmenais à présent avec moi ? »

Mais tandis que tant de choses inexprimées lui hantaient la cervelle, il avait commencé à parler de sa ville natale avec cette aisance qui ne lui manquait jamais même aux heures de fortes émotions intérieures : il la décrivait froidement et avec art, comme s'il se fut agi d'un tableau, jusqu'au moment où, haussant malgré lui le ton, il arriva à l'histoire de sa vie : alors, brusquement, ce fut lui qui se dressa en pied au milieu de la toile, qui se mit à prendre vie et couleur. Il parlait de sa mère, la fameuse comédienne, pour laquelle le grand Goldoni, son admirateur, avait écrit son admirable pièce *la Pupille*. Puis il racontait son fâcheux séjour dans la pension de l'avare docteur Gozzi, son amour enfantin pour la petite fille du jardinier, qui devait plus tard s'enfuir avec un laquais, son premier sermon de jeune abbé, après lequel il avait trouvé dans la bourse du sacristain, outre les pièces habituelles, quelques billets doux, et les espiègleries que, violon à l'orchestre du théâtre San Samuele, il commettait avec quelques camarades de sa trempe, sous le masque ou à visage découvert, dans les ruelles, tavernes et salles de danses ou de jeu de Venise. Mais en contant ces équipées exubérantes, souvent même scabreuses, il avait bien soin d'éviter tout mot choquant, et les teintait d'une sorte de poésie, par égard pour les enfants, semblait-il, qui aussi bien que les autres, et sans en excepter Marcolina, étaient suspendues à ses lèvres.

Mais l'heure s'avançait et Amélie envoya ses filles au lit. Casanova les embrassa toutes trois très tendrement, Teresina de la même manière que les autres, et elles durent lui promettre de venir bientôt le voir à Venise avec leurs parents. Les enfants parties, il s'imposa moins de contrainte, mais il n'y eut cependant dans ses récits aucun mot à double entente et surtout aucune suffisance, en sorte qu'on eût cru entendre l'histoire d'un sentimental fou d'amour plutôt que celle d'un farouche séducteur et d'un redoutable aventurier. Il parlait de cette merveilleuse inconnue qui pendant des semaines avait voyagé avec lui, déguisée en officier, puis avait disparu un beau matin ; de la fille du noble savetier de Madrid, qui, entre deux étreintes, voulait le convertir au catholicisme ; de la belle juive de Turin, Lia, plus fière amazone que n'importe quelle princesse ; de l'adorable et innocente Manon Baletti, la seule qu'il eût volontiers épousée ; de cette déplorable chanteuse qu'il avait sifflée à Varsovie, ce qui lui avait valu un duel avec son amant, le général Branitzky, et l'avait obligé à s'enfuir de Varsovie ; de la méchante Charpillon qui, à Londres, s'était si indignement jouée de lui ; de cette traversée qui avait failli lui coûter la vie quand, par une nuit de tempête, il allait à travers la lagune rejoindre sa chère nonne de Murano ; du joueur Croce, qui, après avoir perdu une fortune à Spa, lui avait fait ses adieux en pleurant sur la route et s'était mis en chemin pour Saint-Pétersbourg, tel qu'il était là, en bas de soie, habit de velours vert et la canne à la main. Il parlait de comédiennes, de cantatrices, de modistes, de comtesses, de danseuses, de soubrettes, de joueurs, d'officiers, de princes, d'ambassadeurs, de financiers, de musiciens et d'aventuriers, et si prodigieux était pour lui-même l'effet du charme retrouvé de son passé, si complet le triomphe de cet autrefois merveilleux et bien réel, mais à jamais disparu, sur son misérable présent où il n'était plus que l'ombre

151

de lui-même, qu'il fut sur le point de rappeler l'histoire d'une jolie jeune fille pâle, qui, à Mantoue, dans la pénombre d'une église, lui avait confié ses chagrins d'amour : il allait oublier que c'était elle qui, avec seize ans de plus, était assise en face de lui en qualité de femme de son ami Olivo...

Mais la servante vint de son pas lourd annoncer que la voiture attendait devant la porte. Aussitôt, avec son incomparable don de se ressaisir, chaque fois que c'était nécessaire, en pleine action ou en pleine rêverie, il se leva pour prendre congé. Il insista encore affectueusement pour qu'Olivo, à qui l'émotion coupait la parole, vînt le voir à Venise avec sa femme et ses enfants, et l'embrassa ; quand il s'approcha d'Amélie pour en faire autant, elle s'écarta doucement et se contenta de lui tendre la main qu'il baisa respectueusement. Marcolina, vers laquelle il se tourna ensuite, lui dit :

— Tout ce que vous nous avez raconté ce soir, et bien d'autres choses encore, vous devriez l'écrire, Monsieur le Chevalier, comme vous l'avez fait pour votre évasion des Plombs.

— Parlez-vous sérieusement, Marcolina ? demanda-t-il avec la timidité d'un jeune auteur.

Elle sourit avec une nuance d'ironie.

152

— J'imagine, dit-elle, qu'un pareil livre pourrait être encore plus passionnant que votre pamphlet contre Voltaire.

« Cela pourrait bien être, se dit-il, sans le formuler à haute voix. Qui sait si je ne suivrai pas un jour ton conseil. Et c'est toi, Marcolina, qui me fournira le dernier chapitre ».

Cette idée, et plus encore la pensée que ce dernier chapitre il allait le vivre cette nuit même, alluma dans son regard une telle flamme que Marcolina laissa glisser de la main de Casanova celle qu'elle lui avait tendue, avant qu'il eût le temps d'y poser ses lèvres en s'inclinant. Sans laisser paraître ni déception ni dépit, il se retira en faisant comprendre, d'un de ces gestes clairs et simples qui n'étaient qu'à lui, que nul, pas même Olivo, ne devait le suivre.

D'un pas rapide il traversa l'allée, mit une pièce d'or dans la main de la servante qui lui avait porté sa valise, et sauta dans la voiture qui s'éloigna.

Le ciel était couvert de nuages. Quand on eut dépassé le village, où derrière de pauvres fenêtres brillaient encore quelques faibles lumières, il n'y eut plus qu'un point lumineux dans la nuit, la lanterne qui était attachée au timon. Casanova ouvrit sa valise, en tira le manteau de Lorenzi, et, après s'en être couvert, se déshabilla sous cet abri avec toutes les précautions indiquées. Puis, fourrant vêtements, bas et souliers dans la valise, il s'enveloppa plus étroitement dans le manteau et cria alors au cocher :

— Holà, il faut rebrousser chemin.

Le cocher se retourna d'un air renfrogné.

— J'ai oublié mes papiers à la maison, il faut y retourner, tu entends ?

Et comme le cocher, bonhomme maigre et maussade à barbe grise, semblait hésiter.

— Tu n'y perdras rien, naturellement : tiens ! Et il lui mit une pièce dans la main. L'autre marmotta quelque chose en l'empochant et, avec un coup de fouet bien inutile à son cheval, lui fit faire demi-tour.

Quand ils traversèrent à nouveau le village, toutes les maisons y étaient muettes et noires. Encore quelques tours de roue sur la grand-route et le cocher allait tourner dans le chemin plus étroit qui montait vers la propriété d'Olivo.

— Halte ! lui cria Casanova, n'approchons pas davantage, pour ne pas réveiller tout le monde. Attends-moi là, au tournant, je ne serai pas long…, et puis, si mon absence devait durer un peu plus, tu auras un ducat par heure d'attente.

L'homme paraissait savoir à quoi s'en tenir :
Casanova le vit bien à sa façon de hocher la
tête. Sautant à bas de la voiture, il s'éloigna
vivement et disparut bientôt aux yeux du
cocher. Il passa devant la grande porte, qui était
fermée, suivit le mur jusqu'à l'angle qu'il faisait
sur la droite et prit alors à travers les vignes le
sentier qu'il ne lui fut pas difficile de trouver
puisqu'il l'avait parcouru deux fois dans le jour.
Le chemin longeait le mur de tout près, jusqu'à
mi-hauteur de la colline environ, où il faisait de
nouveau un angle droit. A partir de là, il
marcha sur une herbe épaisse, préoccupé seulement de ne pas, dans la profonde obscurité qui
l'enveloppait, manquer la porte du jardin. Il
tâta longtemps l'encadrement en pierres lisses
avant de sentir sous ses doigts le bois rugueux :
à ce moment, il put distinguer les contours
étroits de la porte. Mettant la clef dans la
serrure, qu'il eut vite trouvée, il ouvrit, pénétra
dans le jardin, et referma derrière lui. De
l'autre côté de la prairie, il voyait se dresser la
maison et la tour qui paraissaient d'une hauteur
et dans un lointain invraisemblables. Il resta un
moment immobile et jeta un regard tout autour
de lui : car ce qui eût été pour d'autres yeux une
obscurité impénétrable n'était pour les siens
que des demi-ténèbres. Au lieu de continuer

dans l'allée, dont le gravier faisait mal à ses pieds nus, il avança sur la prairie qui assourdissait le bruit de ses pas : sa marche était si légère qu'il avait l'impression de planer.

« Eprouvais-je d'autres sensations, se dit-il, quand à trente ans je me lançais dans de pareilles aventures ! Est-ce que je ne sens pas comme brûler en moi les flammes du désir et couler dans mes veines toutes les sèves de la jeunesse ? Ne suis-je pas toujours Casanova, aujourd'hui comme autrefois ?... et si je le suis, pourquoi ne serait-elle pas abolie en ma faveur, l'odieuse loi à laquelle sont soumis tous les autres et qu'on appelle vieillir ? » Et, s'enhardissant de plus en plus, il se demandait : « Pourquoi vais-je m'introduire chez Marcolina sous un déguisement ? Casanova n'est-il pas mieux qu'un Lorenzi, encore qu'il ait trente ans de plus ? Et ne serait-elle pas femme à comprendre l'incompréhensible ? Etait-il nécessaire de commettre une petite infamie et d'entraîner un autre à une bien pire ? Ne serait-on pas, avec un peu de patience, arrivé au même résultat ? Lorenzi part demain... je serais resté... cinq jours... trois jours... et elle aurait été à moi... sachant à qui elle se donnait ». Il se tenait adossé au mur de la maison, tout contre la fenêtre de Marcolina encore fermée, et laissait vagabonder sa pensée. « Est-il trop tard ?... Je pourrais revenir... demain, après-demain... et commencer mon travail de séduction... en homme d'honneur, pour ainsi dire. Cette nuit-ci ne serait qu'un acompte sur les suivantes. Oui... il ne faut pas que Marcolina apprenne que c'est moi qui suis venu aujourd'hui... ou plus tard seulement... beaucoup plus tard ».

La fenêtre était toujours soigneusement fermée : rien ne bougeait derrière. Il s'en fallait encore de quelques minutes qu'il ne fût minuit. Fallait-il s'annoncer d'une manière quelconque ? En frappant doucement au volet ? Non, rien de pareil n'était convenu et cela pourrait éveiller les soupçons de la jeune fille : donc attendre. Cela ne saurait être long. La pensée l'effleura, et ce n'était pas la première fois, qu'elle pourrait le reconnaître immédiatement, s'apercevoir de la supercherie avant que tout ne fut accompli : mais ce n'était qu'un soupçon fugitif, la constatation naturelle d'une possibilité lointaine, invraisemblable, ce n'était pas une crainte sérieuse. Le souvenir lui revint d'une aventure un peu ridicule, arrivée vingt ans plus tôt : cette affreuse vieille de Soleure avec laquelle il avait passé une nuit de volupté, se figurant qu'il possédait une belle jeune femme adorée... et le lendemain, la coquine s'était effrontément moquée dans une lettre de cette erreur par elle ardemment souhaitée et qu'elle avait préparée avec une malice infâme. A ce souvenir, un frisson de dégoût le secoua. Ce n'était vraiment pas le moment de songer à cela, et il chassa cette image abominable.

Minuit ne sonnerait donc pas ? Combien de temps allait-il encore falloir rester contre ce mur, à frissonner à la fraîcheur de la nuit ? Allait-il attendre en vain et finalement être dupe ? Deux mille ducats gaspillés pour rien ? Et Lorenzi se moquant de lui avec elle, derrière le rideau ? D'un geste involontaire, il serra plus fort la poignée de son épée, qu'il tenait, sous le manteau, pressée contre son corps nu. D'un drôle comme ce Lorenzi on pouvait s'attendre aux surprises les plus pénibles... Mais alors... A ce moment, il perçut un léger craquement... il comprit qu'on venait de repousser le grillage et aussitôt les deux battants de la fenêtre s'ouvrirent tout grands, tandis que le rideau demeurait baissé. Pendant quelques secondes encore Casanova ne fit pas un mouvement, jusqu'à ce que le rideau fût écarté d'un côté par une main invisible : ce fut pour lui le signal de s'élancer dans la chambre en sautant par-dessus l'appui, et de refermer aussitôt fenêtre et grillage derrière lui. Le rideau soulevé lui était retombé sur les épaules, si bien qu'il dut s'en dégager en rampant. Il aurait été dans l'obscurité la plus complète si, du fond de la pièce, à une distance inconcevable, une vague lueur, comme allumée par ses propres regards ne lui eût montré le chemin. Trois pas... et des bras passionnés s'ouvrirent à lui : il laissa tomber l'épée de sa main, glisser le manteau de ses épaules, et s'abîma dans le bonheur.

Les soupirs et l'abandon de Marcolina, les larmes de félicité qu'il baisait sur ses joues, l'ardeur sans cesse renouvelée avec laquelle elle recevait ses caresses, tout lui prouva bientôt qu'elle partageait son ivresse, qui lui semblait plus complète, d'une autre sorte que celles qu'il avait jamais goûtées. La jouissance devint du recueillement, les transports les plus violents s'accompagnèrent d'une comparable lucidité : voici qu'enfin cette plénitude de bonheur, que tant de fois, et si follement, il avait cru goûter, sans jamais la connaître vraiment, il l'atteignait sur le cœur de Marcolina. Il tenait dans ses bras la femme à laquelle il pouvait prodiguer son amour pour le sentir inépuisable, sur le sein de laquelle la minute du suprême abandon et celle du nouveau désir se confondaient en une volupté unique, insoupçonnée. Sur ces lèvres la vie et la mort, le temps et l'éternité ne faisaient-ils pas qu'un ? N'était-il pas un Dieu ? Jeunesse... vieillesse, qu'était-ce sinon une fiction inventée par les hommes. Patrie et étranger, splendeur et misère, gloire et oubli, distinctions chimériques bonnes pour des agités, des solitaires, des vaniteux, mais qui ne signifient rien quand on est un Casanova qui a trouvé une Marcolina. De minute en minute, il lui semblait plus indigne, plus ridicule, pour rester fidèle à un plan conçu dans un moment de pusillanimité, de se sauver après cette nuit merveilleuse, sans dire un mot, sans se faire connaître, comme un voleur. Convaincu de donner autant de bonheur qu'il en recevait, il se sentait déjà résolu à ce coup d'audace : dire son nom. Et pourtant il avait bien conscience que c'était un jeu dangereux et qu'il fallait être prêt, s'il perdait, à payer de sa vie. L'obscurité était encore impénétrable et il pouvait jusqu'à la première lueur de l'aube retarder un aveu dont son sort, sa vie même dépendait, suivant l'accueil que lui ferait Marcolina. Mais cette étreinte muette, cet abandon plein de douceur n'étaient-ils pas précisément faits pour nouer entre Marcolina et lui, de baiser en baiser, un

160

lien de plus en plus indissoluble ? Ce qui avait commencé dans l'imposture ne devenait-il pas vérité dans les ineffables délices de cette nuit ? Ne démêlait-elle pas déjà, la trompée, la bien-aimée, l'unique, que ce n'était pas Lorenzi, ce freluquet, ce pauvre diable, mais que c'était un homme, que c'était Casanova dont les flammes divines l'embrasaient ? Et déjà il commençait à croire possible que le moment souhaité — et pourtant redouté — de l'aveu lui fût épargné : il rêvait que Marcolina d'elle-même, frémissante, fascinée, affranchie, lui murmurerait son nom. Et alors... si elle lui pardonnait... non, si elle acceptait son pardon... il l'emmènerait avec lui, aussitôt, sur l'heure... avec elle, dès l'aube grise, il quitterait cette maison, monterait avec elle dans la voiture qui attendait au détour du chemin... avec elle, il partirait, il la posséderait pour toujours, et ce serait le couronnement de sa vie : à l'âge où d'autres se préparent à une morne vieillesse, il aurait, lui, grâce à la puissance extraordinaire de son tempérament iné-puisable, conquis la plus jeune, la plus belle, la plus intelligente, il l'aurait faite sienne à jamais. Car elle était à lui comme aucune autre ne l'avait été. Il glissait avec elle sur de mystérieux et étroits canaux, entre des palais, dans l'ombre desquels il se retrouvait enfin chez lui, sous des

161

arches de ponts que traversaient des formes vagues : beaucoup, par-dessus le parapet, leur faisaient des signes de bienvenue et s'évanouissaient avant qu'on eût pu les reconnaître. Puis la gondole accostait : un escalier de marbre montait vers la magnifique demeure du sénateur Bragadino, tout illuminée pour une fête. Des personnages costumés en gravissaient ou en descendaient les marches ; certains s'arrêtaient curieusement, mais qui pouvait, sous leurs masques, reconnaître Casanova et Marcolina ? Il entrait avec elle dans la salle de fête : on y jouait gros jeu. Tous les sénateurs, en manteau de pourpre, y compris Bragadino, se pressaient autour de la table. A l'entrée de Casanova, tous murmuraient son nom, avec une sorte d'épouvante, car à l'éclair de ses yeux, derrière le masque, ils l'avaient reconnu. Il ne s'asseyait pas, ne touchait pas une carte, et pourtant il prenait part au jeu. Il gagnait, il gagnait tout l'or qui était sur la table, mais cela ne suffisait pas, les sénateurs devaient lui donner des lettres de change ; ils perdaient leurs fortunes, leurs palais, leurs manteaux de pourpre... ils n'étaient plus que des mendiants qui se traînaient en haillons autour de lui, qui lui baisaient la main, et à côté cependant, dans une salle rouge et sombre, on dansait au son de la musique. Casanova voulait danser avec Marcolina, mais elle avait disparu. Les sénateurs étaient de nouveau assis, en manteau de pourpre, autour de la table : mais cette fois, Casanova le savait, il ne s'agissait plus de cartes, c'était le sort des accusés, criminels ou innocents, qui était en jeu. Où donc était Marcolina ? Ne lui avait-il pas constamment tenu le poignet ? Il descendait l'escalier en courant : la gondole attendait : en avant, en avant, à travers le labyrinthe des canaux... car, bien entendu, le gondolier devait savoir où se cachait Marcolina... Mais pourquoi lui aussi était-il masqué ? Ce n'était pas l'usage, à Venise, autrefois. Casanova voulait lui demander des explications, mais il n'osait pas. La vieillesse vous rend-elle si lâche ? Et en avant, toujours... quelle ville gigantesque était devenue Venise depuis vingt-cinq ans ! Enfin les maisons s'écartaient, le canal s'élargissait... ils glissaient entre des îles..., là-bas se dressaient les murs du couvent de Murano où Marcolina s'était réfugiée. La gondole avait disparu... il s'agissait de nager... Comme c'était beau ! Pendant ce temps, sans doute, les enfants de Venise jouaient avec ses pièces d'or, mais que lui importait l'or ?... L'eau était tantôt chaude, tantôt froide, et ses vêtements ruisselaient tan-

163

dis qu'il escaladait la muraille. — « Où est Marcolina ? » demandait-il, une fois dans le parloir, d'une voix haute, tonnante, d'un ton que seul peut se permettre un prince. — « Je vais l'appeler », disait la Supérieure, une duchesse, et elle disparaissait. Casanova allait, venait, voltigeait le long de la grille, comme une chauve-souris. « Si j'avais su plus tôt que je pouvais voler ! J'apprendrai à Marcolina à en faire autant. » Derrière les barreaux flottaient des formes féminines... des nonnes, bien qu'elles portassent toutes des robes mondaines. Il le savait quoiqu'il ne pût pas les voir, et il savait aussi qui elles étaient. C'étaient Henriette, l'inconnue, et la danseuse Corticelli, et Cristine, la fiancée, et la jolie Dubois, et la maudite vieille de Soleure, et Manon Balletti... et cent autres, seule Marcolina n'était pas parmi elles ! — « Tu m'as menti, cria-t-il au gondolier qui l'attendait en bas. » Jamais encore il n'avait haï un homme comme il haïssait celui-là et il se jurait de tirer de lui une vengeance raffinée. Mais aussi n'était-ce pas pure folie d'aller chercher Marcolina au couvent de Murano puisqu'elle était allée chez Voltaire ? Quelle chance de pouvoir voler, car il n'aurait pas eu de quoi se payer une voiture. Et il s'éloignait à la nage, mais ce n'était plus un tel plaisir, il faisait froid, de plus en plus froid, il était en pleine mer, loin de Murano, loin de Venise... pas un bateau en vue, son lourd vêtement brodé d'or le faisait enfoncer, il essayait de s'en débarrasser, mais impossible parce qu'il tenait à la main le manuscrit qu'il voulait remettre à Monsieur de Voltaire... sa bouche, son nez s'emplissaient d'eau, une angoisse mortelle s'emparait de lui, il tâtonnait autour de lui, il râlait, il criait... et péniblement il ouvrit les yeux.

Par une étroite fente entre le rideau et le bord de la fenêtre pénétrait un rayon de l'aube. Marcolina, enveloppée de sa longue chemise de nuit blanche, qu'elle tenait des deux mains fermée sur sa poitrine, debout au pied du lit, considérait Casanova d'un regard si plein d'une indicible horreur qu'il se réveilla aussitôt complètement. Malgré lui, dans un geste de supplication, il tendit les bras vers elle. Marcolina, pour toute réponse, fit de la main gauche un mouvement de défense, tout en serrant encore plus, de la droite, sa chemise sur sa gorge. Casanova se souleva à demi, en s'appuyant des deux mains sur le lit, et la regarda fixement. Ils étaient aussi incapables l'un que l'autre de détourner leurs yeux. La fureur et la honte étaient dans ceux de l'homme, dans ceux de la femme c'étaient le dégoût et l'épouvante. Et Casanova savait comment elle le trouvait, car il se revoyait tel qu'il s'était contemplé lui-même dans le miroir de la tour : un visage jaune, à l'air mauvais, aux rides profondes, aux lèvres minces et aux yeux perçants, et en outre triplement ravagé par les excès de cette nuit de débauche, par le rêve épuisant du matin et par la terrible révélation de ce réveil. Ce qu'il lisait dans le regard de Marcolina, ce n'était pas ce qu'il aurait mille fois mieux aimé y trouver : voleur, débauché, scélérat ! Il n'y lisait qu'un mot qui l'écrasait de honte bien plus que ne l'auraient fait tous les autres outrages, il y lisait le mot pour lui le plus redoutable de tous, parce que c'était un arrêt définitif : vieillard ! Si en cet instant il avait eu la possibilité de se détruire par quelque tour de magie, il l'aurait fait, uniquement pour ne pas avoir à sortir des couvertures, pour ne pas se montrer à Marcolina dans sa nudité, qui allait lui paraître plus abominable que la vue d'un animal répugnant. Heureusement, Marcolina, se ressaisissant peu à peu, et éprouvant sans doute le besoin de lui fournir au plus vite l'occasion de s'esquiver, se retourna vers le mur et il mit ce moment à profit pour sauter à bas du lit, ramasser le manteau et s'envelopper dedans. Il se saisit aussi vivement de son épée et alors, pensant bien avoir échappé à ce qu'il y avait de plus humiliant dans la situation, au ridicule, il se mit à réfléchir : ne pourrait-il pas, grâce à quelques paroles adroites — et il n'était jamais embarrassé d'en trouver — présenter sous un autre jour, et même un jour favorable pour lui, cette situation si piteuse ? Que Lorenzi l'eût vendue à Casanova, Marcolina ne pouvait, étant donné le cours qu'avaient suivi les événements, en avoir le moindre doute, mais quelque dût être son ressentiment contre ce misérable, Casanova, le lâche voleur, devait lui paraître — il le sentait bien — mille fois plus haïssable. N'y aurait-il pas un meilleur moyen de se relever à ses yeux : s'il humiliait Marcolina par des paroles pleines d'allusions, d'une ironie lascive ? Mais cette velléité perfide s'évanouit à son tour devant un regard dont l'expression pleine d'horreur fit place peu à peu à une tristesse infinie, comme si ce n'était pas seulement la dignité féminine de Marcolina que Casanova avait offensée..., comme si cette nuit un crime innommable, inexplicable, avait été commis par la ruse contre la confiance, par la lubricité contre l'amour, par la vieillesse contre la jeunesse.

Sous ce regard, qui fut pour Casanova la pire des tortures, tout ce qu'il y avait encore de bon en lui se réveilla pour un instant ; il détourna la tête, et, sans plus jeter les yeux sur Marcolina, il alla à la fenêtre, l'ouvrit ainsi que le grillage, après avoir tiré le rideau, inspecta d'un coup d'œil le jardin qui semblait encore sommeiller dans la demi-obscurité, et sauta par-dessus la balustrade. Il était possible que quelqu'un fût déjà éveillé dans la maison et pût l'apercevoir d'une fenêtre, aussi évita-t-il la prairie et se dissimula-t-il dans l'ombre protectrice de l'allée.

A peine avait-il franchi et fermé derrière lui la porte du jardin que quelqu'un s'avança pour lui barrer le passage. « Le gondolier... » ce fut sa première idée, car il se rendit compte brusquement que le gondolier de son rêve n'était autre que Lorenzi. Il se tenait là, debout, dans son uniforme rouge à galons d'argent qui flambait sous les premiers rayons du soleil. « Quel bel uniforme, se dit Casanova, dont le cerveau était encore las et troublé... il a l'air tout neuf, et n'est certainement pas payé. » Ces réflexions terre à terre le remirent tout à fait d'aplomb, et dès qu'il eut envisagé la situation, il retrouva sa bonne humeur. Il prit son attitude la plus hautaine, assura dans sa main, sous le manteau

168

qui l'enveloppait, la poignée de son épée, et dit du ton le plus aimable :

— Ne trouvez-vous pas, lieutenant Lorenzi, que cette inspiration vous vient un peu tard ?

— Non, répliqua l'autre — et il était en cet instant plus beau qu'aucun homme qu'eût vu Casanova — Non pas, car un seul de nous deux s'en ira d'ici vivant.

— Vous êtes bien pressé, Lorenzi, — et le ton de Casanova était presque doux —, ne pourrions-nous pas différer la chose au moins jusqu'à Mantoue ? J'aurais l'honneur de vous y ramener dans ma voiture : elle attend au coin de la route. Et puis il ne serait pas mauvais de respecter les formes... surtout dans notre cas.

— Pas besoin de formes. Vous, Casanova, ou moi, et sur l'heure.

Et il dégaina. Casanova haussa les épaules.

— Comme vous voudrez, Lorenzi. Mais je vous ferai remarquer que je vais être malheureusement contraint de me présenter dans une tenue tout à fait inconvenante.

En entrouvrant le manteau, il parut tout nu, jouant avec son épée. Un flot de haine emplit le regard de Lorenzi.

— Je ne serai pas en reste avec vous, dit-il.

Et il se mit avec la plus grande rapidité à se dépouiller de tous ses vêtements. Casanova se détourna et s'enveloppa plus étroitement dans son manteau, car il faisait frais en dépit du soleil qui perçait peu à peu la brume matinale. Les quelques arbres qui garnissaient le sommet de la colline projetaient de longues ombres sur le gazon. Un instant Casanova se demanda si quelqu'un ne pourrait pas passer par là ? Mais le sentier qui courait le long du mur jusqu'à la petite porte de derrière ne servait sans doute qu'à Olivo et aux siens. Puis l'idée lui vint qu'il vivait peut-être les dernières minutes de son existence et il s'étonna d'être si parfaitement calme. « Monsieur de Voltaire a de la chance ! » Cette pensée lui traversa aussi l'esprit, mais au fond il se moquait bien de Voltaire en ce moment et il aurait souhaité évoquer en une pareille heure des figures plus propices que le déplaisant profil d'oiseau du vieil écrivain. N'était-il pas d'ailleurs surprenant qu'aucun chant d'oiseau ne se fît entendre sur la cime des arbres de ce côté du mur ? Le temps allait sans doute changer... Mais que lui importait ? Mieux valait penser à Marcolina, à la volupté qu'il venait de goûter dans ses bras et qu'il allait maintenant payer si cher... Cher ? Pas tellement... quelques années de vieillesse, à vivre dans la misère et la bassesse... Qu'avait-il encore à faire sur la terre ? Empoisonner le

170

Seigneur Bragadino ? Etait-ce bien la peine ?
Rien ne valait la peine... Comme il y avait peu
d'arbres sur la colline ! Il se mit à les compter :
cinq... sept... dix... n'avait-il donc rien de plus
important à faire ?...

— Je suis prêt, Monsieur le Chevalier.

Casanova se retourna vivement. Lorenzi se
tenait devant lui, superbe dans sa nudité, tel un
jeune Dieu. Toute vulgarité s'était effacée de
ses traits : il paraissait aussi préparé à tuer qu'à
mourir. « Si je jetais mon épée, se dit Casanova, et le prenais dans mes bras ? » Il fit glisser
le manteau de ses épaules et se dressa, comme
Lorenzi, svelte et nu. Lorenzi salua de l'épée,
suivant les traditions de l'escrime, et Casanova
lui répondit de même, puis ils croisèrent le fer,
et la lumière argentée du matin fit scintiller les
lames. « Combien y a-t-il de temps, songeait
Casanova, que je me suis trouvé pour la dernière fois l'épée à la main en face d'un adversaire ? » Mais aucun de ses duels sérieux ne lui
revenait à la mémoire, il ne revoyait que ses
assauts avec son valet Costa, ce coquin, qui une
dizaine d'années plus tôt, avait filé en lui
emportant cent cinquante mille lires. « En tout
cas, c'était un fameux tireur d'épée, et moi je

171

n'ai rien oublié. » Il avait le bras sûr, la main légère et l'œil aussi vif que jamais.

Jeunesse, vieillesse, pure fiction, se disait-il. Ne suis-je pas un Dieu ? N'en sommes-nous pas deux ? Si quelqu'un nous voyait ? Bien des dames paieraient cher pour assister à ce spectacle. Les lames pliaient, les pointes scintillaient, à chaque engagement du fer un son léger montait dans l'air du matin. Un combat ? Non, un assaut... Pourquoi cette expression d'horreur, Marcolina ? Ne sommes-nous pas tous les deux dignes de ton amour ? Il n'est que jeune, mais moi je suis Casanova !...

Brusquement Lorenzi s'affaissa, touché en plein cœur. Son épée lui échappa, des yeux grands ouverts exprimèrent la stupeur ; il souleva sa tête, et ses lèvres se contractèrent douloureusement, puis il la laissa retomber et ses narines se dilatèrent... un léger râle... il était mort.

Casanova se pencha puis s'agenouilla à côté de lui, vit quelques gouttes de sang suinter de la blessure et mit sa main devant sa bouche : aucun souffle de vie ne l'effleura. Un frisson glacé parcourut tous les membres du Chevalier. Il se releva, s'enveloppa dans son manteau et, revenant alors près du cadavre, contempla ce corps juvénile qui gisait là sur le gazon, dans sa beauté parfaite. Un bruissement léger traversa le silence : la brise du matin balançait les cimes des arbres de l'autre côté du mur. « Que faire ? » se demandait Casanova. Appeler quelqu'un ? Olivo ? Amélie ? Marcolina ? A quoi bon ? Personne ne lui rendra la vie. Il réfléchissait avec ce sang-froid qu'il avait toujours su garder dans les circonstances les plus périlleuses de sa vie. « Avant qu'on ne le trouve, il peut s'écouler bien des heures... ce ne sera pas avant ce soir... peut-être même plus tard. D'ici là j'aurai gagné du temps et c'est l'essentiel. » Il tenait toujours son épée à la main et, y voyant briller quelques gouttes de sang, il l'essuya sur le gazon. Il songea à habiller le cadavre, mais cela lui aurait fait perdre des minutes précieuses, irremplaçables. Comme pour rendre un dernier hommage au mort il se pencha encore une fois sur lui et lui ferma les yeux. « Heureux Lorenzi ! » se dit-il, et, comme absorbé dans une rêverie, il baisa au front celui qu'il venait de tuer.

Ensuite il se releva vivement et d'un pas rapide, en rasant le mur, gagna le coin où il bifurqua sur la route. La voiture l'attendait toujours au tournant où il l'avait laissée ; le

cocher dormait profondément sur son siège.
Casanova se garda bien de le réveiller, monta
avec grande précaution et, une fois assis seulement, lui cria « Eh bien ? Est-ce pour bientôt »
en le poussant dans le dos. Le cocher tressauta,
jeta un regard circulaire, tout surpris qu'il fît
déjà grand jour et, fouettant ses chevaux, se mit
en route. Casanova se rejeta en arrière, bien
enveloppé dans le manteau. Dans le village on
n'apercevait sur la route que quelques enfants ;
hommes et femmes étaient déjà sans doute au
travail dans les champs. Quand ils eurent laissé
la dernière maison derrière eux, Casanova
respira profondément. Ouvrant sa valise il en
tira ses vêtements et se mit à s'habiller, toujours
protégé par le manteau, non sans redouter que
le cocher se retournât et fût surpris des singu-
lières allures de son voyageur. Mais rien de
pareil n'arriva : Casanova put achever de se
vêtir sans être dérangé, mettre le manteau de
Lorenzi dans son sac et y reprendre le sien. Il
leva alors les yeux vers le ciel qui s'était
couvert. Il ne se sentait nullement fatigué mais
au contraire plein de vigueur et de lucidité.

En réfléchissant sur sa situation, il arriva, à
force de la considérer, à cette conclusion qu'elle
était évidemment délicate, mais pas aussi
redoutable qu'elle le serait apparue à des esprits

174

plus craintifs. On le soupçonnerait immédiatement d'avoir tué Lorenzi, c'était infiniment probable, mais personne ne pourrait douter que ce fût en un combat loyal... mieux encore : on penserait qu'attaqué par Lorenzi il avait été forcé de se battre et personne ne pourrait lui faire un crime de s'être défendu. Mais pourquoi l'avait-il laissé étendu sur l'herbe, comme un chien crevé ? Personne non plus ne pourrait lui en faire reproche : c'était bien son droit, presque son devoir de fuir rapidement. Lorenzi en aurait fait tout autant. Mais Venise ne le livrerait-elle pas ? Dès son arrivée il se mettrait sous la sauvegarde de son protecteur Bragadino. Mais ne serait-ce pas s'accuser lui-même d'un acte qui pouvait somme toute ne pas être découvert ou ne pas lui être imputé ? Après tout, y avait-il une seule preuve contre lui ? n'était-il pas appelé à Venise ? Qui oserait prétendre qu'il avait fui ? Le cocher, peut-être, qui l'avait attendu sur la route la moitié de la nuit ? Avec quelques pièces d'or de plus on lui fermerait la bouche.

Ainsi tournoyaient ses pensées. Soudain il crut entendre un trot de chevaux derrière lui. Déjà ? fut sa première pensée. Il passa la tête par la portière et regarda la route : elle était vide. Ils venaient de longer une ferme et c'était l'écho de son attelage qu'il avait entendu. Le plaisir de s'être mépris le tranquillisa comme si tout danger avait à jamais disparu. Déjà les tours de Mantoue se dressaient devant lui... « En avant, en avant », se dit-il, sans intention d'être entendu par le cocher. Mais celui-ci, à l'approche du but, accéléra de lui-même l'allure de ses chevaux et bientôt ils arrivaient à la porte que Casanova avait franchie avec Olivo moins de quarante-huit heures auparavant. Il cria au cocher le nom de l'auberge à laquelle il devait s'arrêter : quelques minutes après ils étaient devant l'enseigne du Lion d'Or et Casanova sautait à bas de la voiture. Sur la porte se tenait l'hôtesse ; fraîche et le visage souriant elle paraissait heureuse d'accueillir Casanova comme on fait d'un amant ardemment désiré qui revient après une fâcheuse absence. Mais lui d'un regard courroucé désigna le cocher, témoin importun, et donna l'ordre de lui servir un bon repas.

— Il est aussi arrivé hier soir une lettre de Venise pour vous, Monsieur le Chevalier, dit alors l'aubergiste.

— Encore une ? dit-il, et il grimpa en courant jusqu'à sa chambre, suivi de la femme. Il ouvrit, le cœur battant, le pli cacheté qu'il trouva sur la

176

table. « Un contre-ordre ? » se demandait-il avec anxiété. Mais dès qu'il eut lu son visage s'éclaira. C'étaient quelques lignes de Bragadino auxquelles était jointe une lettre de change de deux cent cinquante lires afin qu'il n'eût pas à différer son voyage d'un seul jour, s'il était bien décidé. Se tournant vers l'hôtesse, il lui dit, feignant la contrariété, qu'il était obligé de poursuivre sur l'heure son voyage s'il ne voulait pas risquer de perdre la place que son ami Bragadino lui avait procurée à Venise, place que convoitaient une centaine de concurrents.

— Mais, ajouta-t-il aussitôt, en voyant s'amonceler des nuages sur le front de l'aubergiste, je ne ferai que m'assurer le poste, recevoir ma nomination, — celle de Secrétaire du Grand Conseil de Venise — puis dès que je serai installé dans mes fonctions je demanderai aussitôt un congé — et on ne pourra me le refuser — pour mettre de l'ordre dans mes affaires à Mantoue : d'ailleurs je vais laisser ici la plus grande partie de mes effets... Et alors, ma chère, ma délicieuse amie, alors il ne dépendra que de vous de quitter votre auberge, pour me suivre à Venise et y devenir ma femme...

Elle lui sauta au cou et lui demanda, le regard pâmé, s'il ne voulait pas au moins qu'avant son départ elle lui montât dans sa chambre un bon déjeuner. Il comprit qu'il s'agissait pour elle d'une petite fête d'adieu, dont il ne se sentait pour sa part nulle envie ; il accepta pourtant afin de se débarrasser d'elle. A peine était-elle dans l'escalier qu'il fourrait dans sa valise son linge et les livres qui lui étaient les plus indispensables, puis descendait dans la salle commune, où il trouvait son cocher attablé devant un plantureux repas, et lui demandait si, pour une somme qui dépassait le double du prix ordinaire, il était prêt à continuer la route avec les mêmes chevaux dans la direction de Venise, jusqu'au prochain relais de poste. Le cocher accepta sans discuter et Casanova fut soulagé pour le moment de son plus gros souci. Là-dessus l'aubergiste entra, rouge de colère, et lui demanda s'il avait oublié que son déjeuner l'attendait dans sa chambre. Il répondit de son ton le plus naturel qu'il ne l'oubliait nullement et la pria, car le temps lui manquait pour le faire, de courir à la banque sur laquelle était tirée sa lettre de change — qu'il lui remit — et de lui apporter deux cent cinquante lires. Tandis qu'elle s'y précipitait, il remonta dans sa chambre et se mit à dévorer à belles dents les mets préparés.

A l'entrée de son hôtesse, sans s'interrompre,

il empocha l'argent qu'elle lui apportait, et, quand il eut fini, il se tourna vers la jeune femme qui se serrait tendrement contre lui, et, croyant son heure enfin venue, lui tendait les bras d'une manière qui ne permettait aucun doute sur ses intentions. Il l'étreignit hâtivement, l'embrassa sur les deux joues, la serra contre lui, et, comme elle semblait prête à ne rien lui refuser, il s'arracha de ses bras en disant : « Il faut que je parte… au revoir », et cela si vivement qu'elle retomba en arrière dans l'angle du canapé. L'expression de son visage, mélange de déception, de colère et d'impuissance, avait quelque chose de si irrésistiblement comique que Casanova, en claquant la porte derrière lui, ne put s'empêcher d'éclater de rire.

Que son client fût pressé, le cocher ne pouvait pas ne pas l'avoir remarqué ; pour quels motifs, il n'avait pas à se le demander. En tout cas, il était sur son siège, tout prêt à partir, quand Casanova parut sur le seuil, et, dès que celui-ci fut monté, il enleva ses chevaux d'un vigoureux coup de fouet. Trouvant bon de ne pas traverser la ville, il la contourna et sortit par la porte du côté opposé. Le soleil n'était pas encore bien haut : il n'était que neuf heures.

« Il est bien possible, se disait Casanova, qu'on n'ait pas encore trouvé le corps de Lorenzi ». Il n'avait pour ainsi dire plus conscience d'être le meurtrier : il était seulement content de s'éloigner de plus en plus de Mantoue et de goûter enfin un peu de répit... Et il sombra dans le sommeil le plus profond qu'il eût jamais connu de sa vie et qui dura, peut-on dire, deux jours et deux nuits : car des brèves interruptions que nécessitaient les changements de chevaux, et pendant lesquelles il s'asseyait dans des salles d'auberge ou faisait les cent pas devant les portes, échangeant quelques paroles banales avec les maîtres de poste, hôteliers, douaniers ou voyageurs, étaient des incidents dont il ne parvenait pas à conserver le souvenir. Aussi, plus tard, la mémoire de ces deux jours et deux nuits se confondait-elle avec le rêve qu'il avait fait dans le lit de Marcolina. Le duel entre deux hommes nus dans une prairie, au soleil levant, faisait aussi en quelque sorte partie de ce rêve, où maintes fois, de façon mystérieuse, il devenait au lieu de Casanova, Lorenzi, non plus le vainqueur mais la victime, non plus le fugitif mais le mort, sur le jeune corps duquel se jouait la brise du matin. Et tous deux, lui-même et Lorenzi, n'avaient pas plus de réalité que les sénateurs en manteaux de pourpre qui, comme des mendiants, se traînaient à genoux devant lui, et pas moins que ce vieux, appuyé au parapet d'un pont, auquel il avait, un soir, jeté une aumône par la portière. Si Casanova n'avait gardé assez de lucidité pour discerner la réalité du rêve, il aurait pu se figurer être tombé entre les bras de Marcolina dans un songe incohérent, dont il ne se réveillait qu'à la vue du Campanile de Venise.

Ce fut le troisième matin de son voyage, de Mestre, qu'après y avoir aspiré depuis plus de vingt ans, il revit enfin ce clocher, — amas de pierres grises qui, surgissant isolé dans les brumes de l'aube, lui apparaissait dans le lointain. Il savait dès lors que deux heures de route seulement le séparaient de la ville bien-aimée où il avait passé sa jeunesse. Il paya son cocher, sans plus savoir si c'était le quatrième, le cinquième ou sixième qu'il réglait depuis Mantoue et, suivi d'un gamin qui portait son bagage, il se hâta à travers des ruelles sordides vers le port, pour y prendre le coche d'eau qui, comme vingt ans plus tôt, partait à six heures pour Venise. On eût dit qu'on n'attendait que lui : à peine avait-il pris place sur une étroite banquette, au milieu de femmes qui portaient leurs denrées à la ville, de petits marchands et d'artisans, que le bateau se mit à avancer. Le ciel était couvert, un brouillard léger flottait sur la lagune ; cela sentait l'eau croupie, le bois mouillé, le poisson et les fruits frais. Le Campanile se dressait de plus en plus haut, d'autres tours se profilaient sur les nuages, on apercevait des coupoles d'églises. Sur un, sur deux, sur d'innombrables toits les premiers rayons du soleil saluaient sa venue ; des maisons sortaient les unes des autres, escaladaient le ciel, des bateaux grands ou petits, surgissaient de la brume, de l'un à l'autre on échangeait des saluts. Autour de lui, les conversations devenaient plus bruyantes : une petite fille lui offrit du raisin : il en acheta, et croqua les grains bleus en crachant les peaux par-dessus bord, à la manière de ses compatriotes. Puis il engagea la conversation avec le premier venu, un homme qui se disait heureux de voir enfin arriver le beau temps. — Comment, il avait plu ici trois jours de suite ? Il n'en savait rien, il arrivait du Sud, de Naples, de Rome... Le bateau glissait maintenant sur les canaux des faubourgs, des maisons sordides le regardaient de toutes leurs fenêtres ternes, comme avec des yeux imbéciles et étrangers ; deux ou trois fois le bateau accosta ; quelques jeunes gens, dont l'un avec une grande serviette sous le bras, des femmes avec des paniers, débarquaient... Puis on arriva dans des quartiers plus aimables. Cette église n'était-elle pas celle où Martine était allée à confesse ? Et cette maison, n'était-elle pas celle où il avait, à sa manière, rendu couleurs et santé à la pâle et mourante Agathe ? Et dans cette autre n'avait-il pas rossé de coups le frère de la ravissante Silvia ? Et dans ce canal latéral, cette petite maison jaunâtre, devant laquelle, sur le perron inondé, se campait cette belle fille aux pieds nus...

Il n'avait pas eu le temps de retrouver quelle apparition de sa jeunesse lointaine il allait encadrer dans ce décor, que déjà le bateau avait tourné dans le Grand Canal et voguait maintenant avec lenteur sur ses eaux plus larges, entre des palais majestueux. Il semblait à Casanova, à cause de son rêve, qu'il avait suivi cette même voie la veille. Au pont du Rialto il débarqua, car avant d'aller chez le seigneur Bragadino il voulait s'assurer une chambre et déposer ses bagages dans un petit hôtel bon marché dont il se rappelait bien la situation, mais dont le nom lui échappait. Il trouva l'endroit plus délabré, ou en tout cas plus négligé qu'il n'en avait gardé le souvenir ; un garçon mal rasé, à l'air maussade, lui montra une pièce peu accueillante et

qui donnait sur le mur sans fenêtre de la maison
d'en face. Mais il ne voulait pas perdre une
minute, et puis, son voyage ayant à peu près
épuisé toutes ses ressources, le bon marché de
la chambre lui convenait fort. Il décida donc de
s'y installer provisoirement, et se débarrassa de
la poussière et de la boue du voyage, puis se
demanda un instant s'il fallait revêtir son costume de gala, mais trouva plus à propos de se
contenter de son habit plus modeste, et une fois
prêt, il sortit.

Il n'y avait pas plus de cent pas à faire, par
une étroite ruelle et un pont, pour atteindre le
petit mais charmant « palazzo » qu'habitait
Bragadino. Un jeune valet, à l'air assez impu-
dent, le reçut et feignit de n'avoir jamais
entendu ce nom si fameux ; mais, quand il
revint de chez son maître, il prit un air bien plus
aimable pour introduire le visiteur. Bragadino
prenait son premier déjeuner, assis à une petite
table devant une fenêtre ouverte ; il voulait se
lever, mais Casanova l'en empêcha.

— Mon cher Casanova, s'écria le sénateur,
comme je suis heureux de vous voir ! Qui aurait
pensé que nous dussions jamais nous rencontrer
encore ? et il lui tendait les deux mains.

Casanova les saisit, comme s'il voulait les
baiser, mais n'en fit rien, et répondit à cet

184

accueil cordial par des remerciements chaleureux, formulés avec cette emphase qui lui était assez habituelle en pareilles circonstances. Bragadino l'invita à s'asseoir et lui demanda avant tout s'il avait déjeuné. Sur la réponse négative de son ami, il sonna et donna des ordres. Le valet parti, Bragadino exprima sa satisfaction d'avoir vu Casanova répondre sans réserve à l'offre du Grand Conseil ; il n'aurait certainement pas à se repentir de s'être résolu à servir sa patrie. Casanova déclara qu'il s'estimerait heureux de donner toute satisfaction au Grand Conseil. Mais, tout en l'affirmant, il faisait mentalement ses restrictions. A vrai dire, il n'éprouvait aucune haine contre Bragadino, mais plutôt une certaine émotion devant ce bonhomme à l'esprit simple, parvenu à l'extrême vieillesse, assis là en face de lui avec sa barbiche blanche aux poils rares, ses yeux bordés de rouge, et dont la tasse tremblait dans ses mains amaigries. Quand Casanova l'avait vu pour la dernière fois, il était à peu près du même âge que lui maintenant, mais il lui faisait déjà, il est vrai, l'effet d'un vieillard.

Le domestique apporta le déjeuner de Casanova, qui lui fit honneur sans se faire prier, car durant son voyage il s'était borné à manger hâtivement quelques morceaux sur le pouce. « Oui, il avait voyagé nuit et jour de Mantoue à Venise, tant il avait hâte de témoigner au Grand Conseil son dévouement et à son noble protecteur sa reconnaissance sans borne. » Il disait tout cela pour excuser la voracité presque inconvenante avec laquelle il avalait le chocolat fumant. Par la fenêtre leur arrivaient les mille bruits de la vie des grands et petits canaux ; les cris monotones des gondoliers dominaient tous les autres ; quelque part, pas bien loin, peut-être dans le palais en face — n'était-ce pas celui des Fogazzari ? — une jolie voix de femme, un soprano, faisait des vocalises : la femme devait être toute jeune, trop jeune pour être née à l'époque où il s'était évadé des Plombs. Il mangeait des biscottes beurrées, des œufs, de la viande froide, tout en s'excusant sans cesse de cet insatiable appétit ; mais Bragadino le contemplait avec plaisir :

— J'aime bien, dit-il, que les jeunes gens aient un bel appétit. Et autant que je me souviens, mon cher Casanova, ce n'est pas ce qui vous a jamais manqué.

Et il rappela un repas, qu'ils avaient fait dans les premiers temps où ils s'étaient connus — ou plutôt pendant lequel il avait, comme aujourd'hui, considéré son jeune ami avec admira-

186

tion ; car lui-même n'était pas encore capable d'être un bon convive ; c'était peu après que Casanova avait jeté à la porte ce médecin qui, par des saignées incessantes, avait failli mettre au tombeau le pauvre Bragadino. Ils parlèrent du temps passé : oh oui, la vie à Venise jadis était plus belle qu'aujourd'hui !

— Pas partout, dit Casanova, faisant, avec un fin sourire, allusion à son séjour sous les plombs. Bragadino fit un geste de protestation : ce n'était pas le moment de se souvenir de ces petits désagréments. D'ailleurs, lui, Bragadino avait alors tout fait pour éviter le châtiment à Casanova, malheureusement sans succès. Ah, si à cette époque-là il avait déjà fait partie du Conseil des dix !...

Ils en vinrent ainsi à parler de la situation politique, et Casanova apprit du vieillard, qui enflammé par son sujet, retrouvait toute l'intelligence et la vivacité de ses jeunes années, bien des choses étonnantes sur l'état d'esprit inquiétant d'une partie de la jeunesse vénitienne, et sur les menées redoutables qui commençaient à se manifester par des signes trop évidents.

Aussi Casanova était-il assez bien préparé à sa mission future quand il entra s'enfermer dans sa misérable auberge. Pour apaiser son âme troublée par tant d'événements, il y passa la journée à mettre de l'ordre dans ses papiers et à en brûler une partie. Et le soir il fit son entrée au café Quadri, sur la place du Marché, qui passait pour être le quartier général des révolutionnaires et des libres-penseurs. Un vieux musicien le reconnut immédiatement : c'était l'ancien chef d'orchestre de ce théâtre « San Samuele » où, trente ans plus tôt, Casanova jouait du violon. Par lui il fut, de la façon la plus naturelle, présenté à une société de gens, jeunes pour la plupart, dont les noms lui étaient, après son entretien avec Bragadino, restés dans la mémoire comme ceux de personnages particulièrement suspects. Mais son nom à lui, par contre, ne produisait nullement sur eux l'effet qu'il s'était cru en droit d'attendre : la plupart, évidemment, savaient uniquement que, jadis, il y avait bien longtemps, il avait été, pour quelque vague motif, et peut-être sans aucune raison, emprisonné sous les plombs, et qu'il s'en était évadé au prix de mille dangers. Sans doute on n'ignorait pas l'existence de la brochure où il avait raconté sa fuite de façon si vivante, mais personne ne paraissait l'avoir lue avec l'attention qu'elle méritait.

Casanova éprouvait un certain plaisir à songer qu'il ne dépendait que de lui de fournir bientôt à chacun de ces jeunes gens l'occasion de se faire une opinion personnelle sur les conditions d'existence sous les plombs de Venise et sur les difficultés d'une évasion. Mais bien loin de laisser transparaître ou deviner une idée aussi perverse, il sut fort bien, là encore, jouer l'homme innocent et aimable, et il amusa bientôt tout le groupe avec le récit de toutes sortes d'aventures qui lui étaient, soi-disant arrivées dans son dernier voyage de Rome à Venise. Ces histoires étaient d'ailleurs à peu près véritables, seulement elles remontaient en réalité à quinze ou vingt ans. On l'écoutait encore avidement lorsque quelqu'un apporta, entre autres, la nouvelle qu'un officier de Mantoue avait été trouvé assassiné près de la propriété d'un ami à qui il allait rendre visite, et que les meurtriers lui avaient enlevé jusqu'à sa chemise. Des événements et attentats de ce genre n'étaient pas à cette époque extrêmement rares, aussi celui-là ne souleva-t-il pas dans ce milieu une émotion particulière, et Casanova continua son récit interrompu, comme s'il ne se souciait pas de cette nouvelle plus que les autres. Et même, délivré d'une inquiétude qu'il

189

ne s'avouait pas franchement à lui-même, il ne s'en montra que davantage plein de verve et de hardiesse.

Il était plus de minuit quand, après avoir brièvement pris congé de ses nouvelles connaissances, il traversa seul la vaste place déserte sur laquelle pesait un ciel lumineux et sans étoiles. Guidé par une sorte d'instinct, comme un somnambule, et sans avoir bien conscience qu'il refaisait ce chemin pour la première fois depuis un quart de siècle, il se dirigea vers sa sordide auberge, par d'étroites ruelles, entre des murs sombres, et en franchissant des passerelles sous lesquelles des canaux noirâtres coulaient vers les eaux éternelles. Il dut frapper plusieurs fois pour se faire ouvrir la porte peu hospitalière. Quelques minutes après, dans sa chambre, une fatigue douloureuse engourdissait tous ses membres sans les détendre ; il sentait un arrière-goût amer monter du plus profond de son être jusqu'à ses lèvres. Enfin, encore à moitié habillé, il se jeta sur son mauvais lit pour y chercher, après vingt-cinq années d'exil, le premier sommeil dans sa ville natale, ce sommeil si longtemps désiré, qui, profond et sans rêves, finit, vers le point du jour, par avoir pitié du vieil aventurier.

Achevé d'imprimer en juillet 1986
sur les presses de l'Imprimerie Bussière
à Saint-Amand (Cher)

— N° d'édit. 1529. — N° d'imp. 1762. —
Dépôt légal : septembre 1984
Imprimé en France

Nouveau tirage : juillet 1986.